Œdipe sur le divan
de Sigmund

MARILOU BROUSSEAU

Œdipe sur le divan
de Sigmund

BÉLIVEAU
★
éditeur

Montréal, Canada

Conception et réalisation de la couverture : Jean-François Szakacs
Illustratrice de la couverture : Marie-Josée Plouffe

Dépôt légal : 3e trimestre 2008
Bibliothèque et Archives nationales du Québec
Bibliothèque nationale du Canada

ISBN 978-2-89092-404-8

BÉLIVEAU
———★———
é d i t e u r

5090, rue de Bellechasse
Montréal (Québec) Canada H1T 2A2
514-253-0403   Télécopieur : 514-256-5078

www.beliveauediteur.com
admin@beliveauediteur.com

Gouvernement du Québec — Programme de crédit d'impôt pour l'édition de livres —
Gestion SODEC — www.sodec.gouv.qc.ca.

Nous reconnaissons l'aide financière du gouvernement du Canada par l'entremise du
Programme d'Aide au Développement de l'Industrie de l'Édition (PADIÉ) pour nos
activités d'édition.

IMPRIMÉ AU CANADA

À K., sans toi, ce livre n'existerait pas.
Merci pour le chemin qui s'ouvre.

À ma sœur Hélène, garde espoir
même si le bateau tangue très fort. Je t'aime.

Et à Catharina Frederiks,
pour les fous rires inoubliables
dans la Mer du Nord.

AVERTISSEMENT

Toute personne qui cherchera des éléments de vérité et des justesses historiques dans le récit qui suivra fera peut-être fausse route.

Toute personne qui croira lire une histoire fictive inspirée d'une tragédie connue fera peut-être bonne route.

Toute personne qui ne verra que contradictions et paradoxes dans cette intrigue fera bonne ou fausse route.

Peu importe le trajet que vous choisirez d'emprunter durant cette lecture, il sera sans équivoque le meilleur. Car, le chemin qui mène à soi comporte, dans la même mesure et démesure, vérité et mensonge. Encore faut-il savoir lequel de ces derniers abrite la réalité...

Marilou Brousseau
MONTRÉAL (QUÉBEC)

POST-SCRIPTUM : Dans ce récit, toute ressemblance avec des personnes connues ou inconnues, fictives ou réelles s'avère possible, n'en doutons pas, l'imagination côtoyant le temps, les époques, les histoires et les gens aux fins d'en tirer ses propres conclusions.

Néanmoins, pour ceux et celles qui prendront ces derniers mots à la lettre, ce livre demeure une fiction. Nonobstant certains passages concernant Sigmund et Anna Freud ainsi qu'Œdipe-Roi de Sophocle, tous les noms, les personnages, les lieux, les évènements sont fictifs et toute ressemblance avec des personnes réelles, vivantes ou décédées, ainsi que des établissements et des endroits spécifiques est pure coïncidence.

ATTENTION

Ce roman ne se veut en *aucun temps* une interprétation ou réinterprétation du mythe d'Œdipe-Roi de Sophocle, mais une élucubration fantaisiste à partir de quelques points et aspects de cette tragédie grecque. Il a été créé sur des feuilles vierges de toutes prétentions psychanalytiques et littéraires. Cette fiction originale n'est qu'un pur prétexte à des associations libres et créatrices.

Pour une compréhension plus nuancée du livre, vous trouverez en annexe le résumé de la tragédie d'Œdipe-Roi de Sophocle.

« *Dites donc tout ce qui vous passe par l'esprit.*
Conduisez-vous par exemple à la manière d'un voyageur,
assis côté fenêtre dans un wagon de chemin de fer,
qui décrit à quelqu'un d'installé à l'intérieur
le paysage se modifiant sous ses yeux. »

SIGMUND FREUD

Il n'existe qu'une seule façon d'entrer dans ce livre :
par la porte de l'imaginaire.

Je vous en prie, après vous…

PREMIÈRE PARTIE

Prologue

VIENNE — 1938

« Va jusqu'au bout! Va jusqu'au bout! »

L'ombre glissa le long des maisons, emprunta une ruelle avant de s'arrêter dans l'arrière-cour d'un immeuble de la rue Bergasse. L'air glacial enveloppait la ville d'un silence insolite et compressait les poumons de toute personne osant braver la température au-dessous de la normale. Malgré le froid intense, pour un mois de novembre, rien au monde n'aurait détourné le voleur de sa mission périlleuse même si son audace déclinait au fur et à mesure qu'il se rapprochait de son but. « Va jusqu'au bout! Va jusqu'au bout! » se répétait-il sans arrêt, cherchant à se motiver par ces simples mots d'exhortation.

L'homme s'écarta de la façade du bâtiment et lança un grappin attaché à une longue corde vers la corniche. Après s'être assuré de l'implantation solide des pointes dans le bois, il enserra le câble de ses mains gantées et escalada le mur à la hâte jusqu'au second étage. Il ouvrit la fenêtre prudemment et s'introduisit dans la demeure avec plus d'aisance qu'il ne l'eut cru possible. Rassuré par le silence régnant dans l'appartement, il dégagea une lampe de poche de sa ceinture, l'alluma et balaya

*la pièce plongée dans l'obscurité. Aussitôt, il localisa une biblio-
thèque fermée à clé. Il avança vers elle sur la pointe des pieds,
sortit ses outils et, avec minutie, s'affaira à crocheter la serrure.
Elle céda bruyamment après de longues minutes d'acharnement ;
une éternité. Nul doute, ce larcin allait constituer son premier et
son dernier méfait. Il ne possédait pas l'étoffe des cambrioleurs
chevronnés qui commettaient des délits parfaits avec une habileté et une assurance redoutables.*

*Fiévreux, il ouvrit la porte du meuble et fouilla le contenu
des étagères à la recherche d'un objet spécifique. Absorbé par
son travail, il n'entendit pas une personne s'approcher à pas de
loup. À peine eut-il trouvé ce qu'il cherchait, qu'une lumière vive
éclaira la pièce. Le malfaiteur sursauta, retint un cri, puis se précipita vers la fenêtre. Sa descente en rappel, malgré son butin
serré contre lui, battait des records de vitesse.*

Mais quel butin ?

*Inspectant le lieu de manière scrupuleuse, le propriétaire
réalisa que le brigand avait jeté son dévolu sur sa bibliothèque
en noyer massif contenant sa collection de livres et de documents
précieux. Le filou croyait sans doute qu'elle abritait un coffre-
fort dans lequel reposaient des diamants de première eau et des
liasses de papier-monnaie. Quelle déception pour lui !*

*Freud frissonna. Lors de l'autodafé du dix mai 1933 à Berlin,
ses œuvres, ainsi que celles de Proust, Zweig, Heine, Brecht,
Voltaire et bien d'autres écrivains, se trouvaient parmi les vingt
mille ouvrages brûlés sur la place de l'opéra devant l'Université
Friedrich-Wilhelm. Cette cérémonie, orchestrée par le Régime
totalitaire du IIIe Reich, visait à « purifier » le monde de tout
intellectualisme juif ainsi que des écrits considérés antagonistes
et subversifs. Depuis ce jour fatidique, il avait pris la précaution
de mettre sous verrous la plupart des imprimés et bouquins jugés
importants à ses yeux. Le sentiment de sécurité qui en découlait,
aussi mince fût-il, lui procurait un réconfort indéniable. Quant à*

ses statuettes provenant de Grèce, de Rome et d'Égypte antiques de même que d'Orient, placées bien à vue sur ses étagères, son bureau et dans son bahut vitré, il ne craignait guère leur subtilisation par un brigand sans foi ni loi. Personne, selon lui, n'oserait s'emparer de cette collection on ne peut plus banale pour le commun des mortels.

Freud frémit de nouveau. Évitant les flaques de neige fondue sur le plancher, il se dirigea vers la fenêtre laissée ouverte et la ferma avec vigueur. L'idée d'appeler le commissariat de police effleura son esprit, mais que feraient les gardiens de la paix sinon établir un constat? Ils ne se lanceraient sûrement pas à la poursuite d'un individu sans en posséder une description suffisante. Son seul souvenir consistait en une silhouette sombre se sauvant dans la nuit. Rien pour aiguiller même le plus habile des enquêteurs. Du reste, son appartement n'avait pas été mis à sac. Mieux valait ne pas attirer l'attention sur lui. Depuis que l'Allemagne nazie étendait ses tentacules lucifériens sur toute l'Europe, une crainte viscérale ne cessait de le tarauder malgré l'air calme affiché à la ronde. Il le savait trop bien, ses origines juives mettaient en péril non seulement sa vie, mais celle des siens.

Plusieurs amis, dont le psychiatre Ernest Jones, l'invitaient à considérer l'exil en Angleterre avant que le pire ne survienne. Or, quitter son pays natal représentait une souffrance insoutenable. N'était-ce pas mourir un peu que de tout laisser derrière lui; que d'extirper ses racines profondes du sol tant aimé pour les semer dans une terre nouvelle; que d'ignorer si, dans ce lieu étranger, elles atteindraient les nappes d'eau souterraines pour y puiser force et substance ou si elles ramperaient à la surface, en quête de nourritures issues de la condensation de ses souvenirs remplis de gouttelettes mélancoliques?

Freud poussa un long soupir.

Se rappelant que le cambrioleur possédait un objet en main lors de sa fuite en catastrophe, il inspecta scrupuleusement sa bibliothèque. Son contenu constituait un trésor auquel il tenait comme à la prunelle de ses yeux. De mémoire, il connaissait chacun de ses ouvrages philosophiques, scientifiques, historiques, littéraires et anthropologiques amassés à ce jour. Pour un individu à la recherche de biens rutilants, ses archives ne correspondraient qu'à de vulgaires pièces sans importance.

Alors, pourquoi une sourde angoisse rendait-elle sa respiration si saccadée?

Nerveux, Freud scruta un à un ses parchemins et ses livres, surpris de réaliser la poussière accumulée dans cet endroit clos. Quel moment inopportun pour s'arrêter à ce détail! Soudain, il se figea sous le coup d'une vive émotion. Son livre Οδιπους τραννος — Œdipe-Roi —, une des tragédies de Sophocle, avait disparu. DIANTRE! Le scélérat lui avait dérobé un de ses ouvrages préférés, écrit en grec ancien de surcroît!

◆ ◆

Un aboiement se fit entendre au loin. L'homme courait dans la névasse, sans se retourner, hors d'haleine, la peur au ventre et le cœur battant la chamade. Les lampadaires nimbaient les rues d'une lueur étrange, mystérieuse. Par miracle, personne ne fréquentait ce quartier viennois à cette heure indue. Son état pitoyable aurait sûrement alerté des passants.

Transi et à bout de souffle, il entra chez lui, épuisé. Dans sa chambre, il se laissa choir sur son lit sans même retirer ses vêtements mouillés. Les yeux noyés de larmes, il ne pouvait se départir de l'angoisse qui le tenaillait. Ses mains, ses jambes... son corps entier tremblait.

L'homme se sentit aspirer dans un vortex toujours plus rapide. Le temps s'étirait, se tordait, s'allongeait...

◆ ◆

1

LONDRES — 2001

Le cabinet de consultation, dans le sous-sol de la maison de Sigmund Dorland, baignait dans la clarté fuyante d'une fin d'après-midi. Debout, près d'une fenêtre, le psychanalyste contemplait la neige qui valsait dans le vent. L'hiver s'installait avec élégance dans le paysage londonien et, chaque jour, la lumière écourtait sa visite au profit d'une nuit s'étendant paresseusement dans le ciel. Pour le médecin, cette saison symbolisait une chape rassurante sous laquelle pouvait s'effectuer la recherche des contenus refoulés. Fidèle compagnon de la noirceur, l'inconscient se laissait mieux apprivoiser dans la pénombre, que par un éclairage physique et psychologique intense. Dans la douceur tamisée de la pièce et de l'âme, les échappées révélatrices s'ensuivaient à leur rythme, accueillies par l'oreille attentive de l'analyste, puis approfondies et purifiées par le travail d'introspection et de réflexion du patient.

Sigmund dirigea ses pensées vers le rêve récurrent qui l'accablait depuis plusieurs nuits. À son esprit s'imposait le visage lumineux d'un vieil homme répétant sempiternellement: « Retourne aux origines, retourne aux origines… » En dépit de ses efforts pour en comprendre le sens, le message demeurait indécodable. Quel évènement d'une époque révolue s'ingéniait à vouloir percer sa conscience avec une telle ponctualité ? Pourquoi cette invitation ne révélait-elle pas davantage son contenu ? Il existait plusieurs origines, celles du monde, d'une personne, d'une société, d'une guerre, d'une croyance, d'un conflit, d'une rumeur, d'une peur...

Le heurtoir de la porte d'entrée de son bureau se fit entendre à plusieurs reprises, interrompant sa rêverie. Sigmund, incapable d'endurer les sons stridents de sa sonnette électrique, avait marchandé, chez un antiquaire, un marteau en métal sur pièce de bois. Après son installation, ses pauvres tympans notèrent une différence significative.

Le bruit sourd retentit de nouveau. Nul doute, il s'agissait de son nouveau patient. Un mystère quasi sacré entourait une première rencontre. À partir de quelles blessures psychiques les parois de son être profond avaient-elles été balafrées ? Dans quel cachot intérieur verrouillait-il ses souffrances traumatiques et par quels bris de surface s'exprimaient-elles dans son quotidien ? Ces énigmes, une fois explorées, le renseignaient toujours un peu plus sur les différents processus inconscients et les comportements humains.

Le psychanalyste se dirigea vers l'escalier tout en observant un amas de poussières floconneuses se déplacer sur son passage. Il se pencha et, d'un geste rapide, empoigna le mouton qu'il roula entre ses doigts pour en façonner une petite boule avant de l'insérer dans la poche de son pantalon. Lolita, sa femme de ménage, une Espagnole d'Amérique latine percluse de rhumatismes, signait absente depuis deux semaines. Venue faire fortune en Grande-Bretagne, elle avait déchanté quand ses plans d'avenir s'étaient résumés à nettoyer l'antre déjà propret d'un médecin. Adieu les rêves de richesse et bienvenue le quotidien morne et cynique de la réalité.

Sigmund grimpa les marches menant au portique du sous-sol. Les paupières mi-closes, il accueillit poliment l'arrivant, un homme grand et mince, aux yeux aussi bleus que les eaux profondes de la Méditerranée. Ses longs cheveux noirs saupoudrés de neige ainsi que son visage sculpté à même le moule d'Apollon lui conféraient une allure impressionnante et majestueuse. Ils descendirent vers la salle d'attente où le client retira son manteau pour l'accrocher à la patère murale. Sigmund sursauta. Il portait un chiton de laine maintenu aux épaules par des fibules dorées et serré à la taille par une ceinture noire. Un pantalon fuseau épousait le contour de ses jambes athlétiques et des bottillons en cuir lisse terminaient son accoutrement. On aurait dit qu'il surgissait directement d'un monde ancien ou qu'il s'apprêtait à jouer dans une pièce de théâtre. Sigmund éprouva une sensation de déjà-vu, l'impression fugace de connaître l'individu avant même de le connaître.

Après une poignée de main cordiale, ils se dirigèrent vers son bureau. Le psychanalyste remarqua le léger boitillement de l'homme. Accident? Aponévrosite? Arthrose? Épine de Lenoir? Ses problèmes de santé seraient sûrement abordés au cours de la thérapie.

L'homme, ayant préféré garder l'anonymat lors de leur conversation téléphonique, s'assit très droit sur le fauteuil noir en similicuir. Cet autre détail n'échappa pas à Sigmund, qui, avec les années, avait développé l'art d'observer, d'évaluer et de mesurer au premier coup d'œil ses patients. Habituellement, les âmes hantées par leurs souvenirs malheureux se ramassaient sur elles-mêmes sous l'effet de la douleur. Lui, au contraire, ressemblait à une colonne solide, trop rectiligne somme toute. Ils se regardèrent longuement, se jaugeant l'un et l'autre: Sigmund, avec le regard du professionnel qui estime les gens selon des critères psychanalytiques et psychologiques bien intégrés et le nouvel arrivant, avec un questionnement portant sur la compétence du spécialiste, le degré de confiance à lui accorder et la manière de lui exposer ses conflits.

« Puis-je connaître votre prénom, Monsieur ? demanda le psychanalyste, ajustant ses lunettes rondes dont le verre droit, lézardé par un coup du hasard, ne semblait survivre que par une mystérieuse colle invisible.

– Œdipe.

– Pardon ?

– Œdipe. »

Sigmund retint la répartie cinglante lui brûlant les lèvres. Il n'avait pas de temps à perdre avec un écervelé qui, à peine la bouche ouverte, proférait une idiotie. *Vous repasserez quand vous serez prêt pour une analyse !* eut-il envie de lui lancer. Une forte impulsion intérieure l'obligea à se taire.

« Quel est votre nom de famille... euh... Œdipe ? s'enquit-il avec une hésitation notable en fin de phrase.

– Si vous n'y voyez pas d'objection, je préfère taire cette information ainsi que mes origines, du moins, pour l'instant.

– Voilà une manière fort inusitée de vous présenter ! Puisque dès le départ vous instaurez le mystère autour de votre identité, je respecterai votre choix. Permettez-moi tout de même une petite question. Vous dites *mes* origines, en possédez-vous plusieurs ? »

Le client racla sa gorge avant de répondre :

« Cette question entraîne une réponse assez complexe. Comme tout un chacun, d'évidence, j'ai un père et une mère biologiques. Cela dit, cette unicité parentale se perdra, éventuellement, dans une pluralité qui me mènera tout droit au désastre. C'est la raison pour laquelle, aujourd'hui, je requiers vos services avant de commettre l'irréparable. »

Sigmund évita de gratter son cuir chevelu, geste machinal qu'il effectuait lorsqu'une situation lui paraissait trouble. *Une pluralité parentale...* Étrange! Il faisait sûrement référence à une famille recomposée. Cet homme avait également mentionné: « me mènera tout droit au désastre... ». Sur quelles prémisses se basait-il pour anticiper son avenir et pourquoi choisissait-il de l'inscrire sous le sceau d'un destin inéluctable, limitant ainsi son champ d'action dans le présent? Le destin ne changeait-il pas au rythme des décisions prises à chaque instant de la journée?

Les propos de son client, pour le moins énigmatiques, animaient le chercheur en lui sans pour autant endiguer une vague d'inquiétude montante. Qui était ce singulier personnage?

« Œdipe, vous évoquez un irréparable, avança-t-il doucement.

– En effet! Le malheur a été ficelé à ma vie bien avant que je ne vienne au monde. Un oracle, annoncé par un devin, a intercepté mon libre arbitre et façonné la trajectoire de mon devenir, ce qui me conduira à accomplir des gestes irrémédiables. Je veux dénouer le désastre de ma vie bâti à même la fatalité. Je refuse de céder au destin la détermination de mes choix et actions, faute de quoi je terminerai mes jours dans l'errance, comme un étranger aveugle sur une terre autre que la sienne. »

Sigmund sursauta, incapable de cacher plus avant sa stupéfaction. En l'espace de quelques minutes, cet homme avait emprunté le personnage d'*Œdipe-Roi*, d'une tragédie de Sophocle, pour se présenter à lui. Soit qu'il jouait la comédie pour une raison inconnue, soit qu'il investissait dans un leurre pour se protéger d'un conflit sous-jacent intense. Si cette dernière hypothèse se confirmait, son patient saurait-il, avec le temps, établir une distinction spécifique entre réalité et fiction, entre perception et représentation?

Le psychanalyste se trouvait devant un cas particulier, et pourtant, seule une réplique caustique lui venait à l'esprit. Il devait se contrôler. C'était lui, le thérapeute, après tout! Jamais il ne ripostait de la sorte, même avec les gens les plus rebelles, rébarbatifs et originaux. Pourquoi, une telle réaction suite aux propos de son client?

Sigmund resta pensif pendant quelques minutes. S'il s'agissait d'une mascarade provenant d'un antagoniste des théories freudiennes, déterminé à semer le trouble, il montrerait rapidement à ce cabotin de quel bois il se chauffait. Le médecin était reconnu par ses pairs et ses proches pour ses réparties cinglantes, parfois dures à encaisser. Avec les années, il avait vaincu sa timidité légendaire pour afficher une assurance plus solide. Certes, dans des domaines particuliers, il demeurait craintif et mal à l'aise; mais devant les personnes irresponsables et dépravées, il sortait aisément ses griffes, labourant leurs suffisances et fausses glorioles de paroles incisives, quoique justes et honnêtes. Sa naïveté et sa bonté ne constitueraient plus un tremplin pour les inconséquents n'ayant de métiers que ceux d'agresseur, d'agitateur et de briseur de paix.

Par contre, si son client, dans un raisonnement névrotique, se perdait dans un syllogisme du genre: « Tous les hommes marqués par la fatalité d'un oracle sont des Œdipe, étant un homme marqué par la fatalité d'un oracle, je suis donc Œdipe », il aurait du fil à retordre. En outre, il lui faudrait vérifier si, effectivement, une prédiction fataliste avait été émise et qu'elle n'émanait pas d'un quelconque devin contemporain à la boule de cristal embuée par l'appât du gain. Si tel était le cas, cela ne justifierait d'aucune façon le choix de cet homme de s'appeler Œdipe, de s'habiller à son image — style grec ancien —, et d'en endosser l'histoire. De plus, quelle mère aurait donné un tel prénom, lourd d'équivoques et de souffrances, à son enfant?

Si cet individu avait cherché à retenir son attention, il récoltait une note parfaite. Sigmund songea qu'une identification même partielle au personnage d'Œdipe serait longue à traiter.

Seuls le temps, la patience, la chaleur et la continuité l'aideraient probablement à poser pied dans la réalité. Pour le moment, il devait choisir laquelle des trois interventions possibles serait la plus adéquate pour ce type : une psychanalyse, une psychothérapie ou la porte de sortie.

Le médecin prit une profonde inspiration. Rien de mieux pour calmer son esprit et ses nerfs tendus comme des cordes de guitare. Il allait jouer, à cet Œdipe improvisé, la mélodie de la rationalité en le confrontant avec fermeté aux assises insolites qu'il proposait d'entrée de jeu. Plus tard, il tenterait de saisir pourquoi cet homme éveillait en lui des réactions si fortes et ambivalentes que personne, auparavant, n'avait soulevées avec autant d'intensité en vingt ans de pratique.

Œdipe ne bronchait pas, sans doute étonné du silence prolongé du psychanalyste.

« Je voudrais vous rappeler, Monsieur, qu'Œdipe est un personnage fictif et que vous êtes ici, devant moi, bel et bien en chair et en os », déclara Sigmund, d'une voix qu'il souhaitait calme et posée, cherchant à lui signaler que la duperie ne le conduirait nulle part, même si dans la tristesse de ses yeux, il décelait toute la bonne foi du monde.

Vous comprendrez que votre cas m'apparaît inusité et je me dois de remettre les pendules à l'heure d'aujourd'hui, d'autant plus que j'ignore quelles raisons vous poussent à personnifier ce héros mythique, eut-il envie d'ajouter. « Allez ! Recommençons à zéro si vous le voulez bien. Quel est votre nom ? »

Étrangement, le patient demeura impassible, une lueur indéchiffrable au fond de ses prunelles. Nullement surpris par cette mise au point, il enchaîna son discours, tout bonnement, là où il avait été interrompu, ce qui eut pour effet de ranimer la colère du médecin, attiédie un moment par ses réflexions. Il se contint de justesse de l'expédier, poste première, vers la plus lointaine contrée : *exit Œdipe ! Exit Sophocle ! Exit l'usurpation d'identité !*

Calme-toi, Sigmund! s'exhorta-t-il intérieurement, mécontent d'être emporté par un sentiment d'une telle ampleur. Qu'est-ce qui lui prenait? La fatigue accumulée des mois derniers jouait-elle un rôle dans l'éveil soudain de son impatience? À n'en pas douter, l'attitude rébarbative qu'il affichait ne servirait certainement pas son client au cours de sa thérapie. S'il ne parvenait pas à contrer ses jugements et résistances durant ce premier entretien, mieux valait proposer à Œdipe de rencontrer un autre psychanalyste.

« Docteur Dorland, je comprends votre étonnement et peut-être même votre agacement, mais c'est ainsi: je suis marqué du sceau de l'infortune. Malgré la prédétermination des évènements de ma vie, on me tiendra responsable des actes futurs que je commettrai contre mon gré. Et je le serai. Je ne veux pas répondre du destin tragique qui m'est dévolu, telle une victime ne pouvant éconduire le sort jeté sur elle. Je désire changer le cours de l'histoire, lui donner une orientation saine et heureuse. Pour atteindre ce but, j'ai besoin de votre soutien, car je suis impuissant à me libérer seul. Mon fardeau est trop lourd et ma peur, indescriptible. Je vous en prie, aidez-moi à me sortir des marécages de malheurs dans lesquels je m'enfonce depuis des années. Ma vie a été fracassée par les cruautés du destin et elle ne tiendra pas la route si personne ne me soutient dans ma quête. »

Un long silence succéda à ses paroles. Un silence nerveux pour Œdipe, un silence rempli d'incertitude pour Sigmund.

Un léger tremblement parcourut l'échine du médecin, ce genre de frissons subtils, annonciateurs de quelques mauvais augures. Mais lesquels? Confrontations, mésententes, impasses? Devait-il se conformer à la voix de la raison lui dictant de mettre un terme à cette analyse avant même ses premiers balbutiements ou pénétrer l'univers ambigu de cet homme pour l'aider à démêler l'écheveau de son intrigue?

La demande d'Œdipe était claire et reflétait une grande détresse. Sigmund ne pouvait y demeurer insensible. N'avait-il pas choisi ce métier afin d'amener ses clients à répandre un peu plus de clarté sur leurs souvenirs en friche et sur leur vie en ruine? Pour qu'au-delà de leurs blocages ils expriment leurs souffrances passées, celles se répercutant avec ponctualité sur la scène de leur présent? Et, ultimement, pour qu'ils s'affranchissent de leurs sentiments de honte, de culpabilité, de rejet et de tous les autres états affectifs construits autour de leur perception de ne pas être aimé?

« Œdipe, votre histoire ne peut pas être changée; elle constitue l'empreinte de vos évènements passés, avança Sigmund avec délicatesse et prudence. Nous ne pouvons effectuer une thérapie à partir de situations qui ne sont pas survenues, mais plutôt considérer et analyser vos peurs actuelles: celles-ci prenant habituellement racine dans les coins reculés de l'enfance. Revenir en arrière ne signifie nullement modifier votre expérience, mais la comprendre, dans le moment présent, afin d'y donner un sens. Mon mandat, si vous l'acceptez, consistera à vous accompagner dans l'exploration de votre vie psychique...

– Et comment procède-t-on à cette exploration? coupa Œdipe, songeant que Sigmund ne pouvait, à ce stade précaire, saisir l'ampleur et l'entièreté du problème. Mieux valait le laisser à ses interprétations et visions du moment.

– La psychanalyse étant une cure par la parole, vous êtes convié à dire tout ce qui traverse votre esprit, sans censure, répondit le médecin impassible, conscient du changement d'humeur de son nouveau patient. En exprimant à haute voix vos expériences, fantaisies, rêves, désirs, délires et autres, des contenus inconscients seront mis en évidence et vous pourrez effectuer des associations, c'est-à-dire mettre en rapport deux ou plusieurs éléments qui auront émergé. Je ne développerai pas davantage les détails déjà expliqués au téléphone. Je vous rappelle, toutefois, qu'une psychanalyse est exigeante. Pour être efficace, selon mes critères personnels, elle doit durer un minimum de quatre ans et pourra même s'échelonner sur une période de dix ans, le cas échéant. De plus, il est préférable de prévoir, dans votre horaire, trois ou quatre séances de quarante-cinq minutes par semaine. Chacune d'elles doit être réglée en argent comptant, au début de la rencontre, et vous êtes tenu de rembourser celles manquées, peu importe la raison motivant votre absence. Vous aurez toujours le privilège de mettre un terme à la thérapie, puisqu'aucun contrat ne sera signé entre nous. Est-ce que ces normes vous conviennent ?

– Oui.

– Je tiens à préciser qu'une psychanalyse est d'abord et avant tout une alliance établie avec vous-même. Le choix d'investir temps et argent dans cette recherche approfondie de vos processus mentaux vous appartient entièrement. Vous pouvez réfléchir à ces exigences et me revenir avec une réponse, à votre heure, s'il y a lieu, termina-t-il, réalisant qu'il avait débité ses informations sur un ton mécanique, sec et sans âme. Son invitation à lui revenir *s'il y a lieu* devait sûrement sonner comme un désinvestissement de sa part. Cette phrase lui avait échappé…

– C'est déjà tout réfléchi, Monsieur. Je veux entreprendre une psychanalyse avec vous. Qu'est-ce qui est préférable, le divan ou la chaise ? »

Le médecin retint un sourire. Curieusement, les patients ne discutaient pas ou très rarement des points principaux énoncés, comme s'ils connaissaient d'avance les enjeux et le fonctionnement d'une psychanalyse. Toutefois, le choix de la chaise ou du divan représentait un élément d'importance capitale pour l'enclenchement du travail. Sa réponse demeurait toujours identique :

« À vous de choisir. L'un ou l'autre me convient.

– Alors, ce sera le divan.

– Vous pouvez prendre place. »

Œdipe se leva et s'allongea sur ce qui tenait lieu de divan, un simple lit composé de trois matelas superposés, contigu au mur droit de la pièce et agrémenté de cinq petits coussins de différentes couleurs bien alignés.

Pendant qu'il s'étendait, le psychanalyste se remémora un épisode malheureux de sa dernière année de secondaire en science générale. Il avait remis à son professeur un essai portant sur *l'horizontalité par opposition à la verticalité*. Ce texte se voulait une revisite originale et audacieuse de la première topique freudienne : l'inconscient, le préconscient et le conscient. Ayant passé son adolescence à lire la plupart des écrits disponibles de Freud, ainsi que ceux portants sur sa vie, il s'était imaginé pouvoir élaborer quelques hypothèses et théories de son cru, sans la moindre intention ou prétention de dénigrer le père de la psychanalyse. De toute façon, il n'en avait ni l'aptitude ni l'expertise et tel n'était pas son but.

Malheureusement, la semaine suivante, l'enseignant s'insurgea contre son travail, devant les étudiants, montrant des dents comme un chien de chasse. Ce devoir, prétendait-il, s'avérait un affront impardonnable à l'esprit de Freud. La note zéro trônait en première page ; châtiment ultime pour un premier de classe. Au verso de la dernière feuille, en larges traits agressifs, s'étalaient des mots qui l'auraient fait rire à gorge déployée s'ils n'avaient pas été trempés dans l'acide sulfureux de la colère : « Pour qui vous prenez-vous ? Porter le même prénom que celui du père de la psychanalyse ne vous en confère certainement pas son intelligence. Vous êtes ridicule et inconscient ! S'il vous plaît, laissez Freud dormir en paix dans sa tombe ! Jamais vous ne pourrez capturer l'essence et la portée de son travail. Lisez plutôt les aventures d'Agatha Christie et écrivez tout ce que votre cerveau effervescent pourra vous dicter sur cette écrivaine et ses livres. De toute façon, là encore, vous ne serez que hors champ. »

Ces mots, il les avait appris par cœur pour lui couper toute envie éventuelle de s'aventurer dans des sentiers hasardeux. Ce jour-là, le rouge de la honte avait envahi son visage, et aujourd'hui, encore, il teintait ses nombreux écrits et articles savants. Une retenue, une gêne indescriptible l'empêchait de livrer le fond de sa pensée, d'élaborer de nouvelles hypothèses ou de montrer, à ses confrères et consœurs, le large éventail de son savoir. Mieux valait garder le silence et passer pour un ignare ou un innocent, que de se frotter à la hargne et au mépris des autres. Un jour, peut-être, il osera publier ce fameux travail conservé dans un de ses tiroirs comme un défi à l'autorité et, surtout, un plaidoyer pour la liberté d'expression. Quant à Agatha Christie, nul doute que ce professeur volcanique ignorait que Freud avait dévoré ses livres durant les dernières années de sa vie.

Tant pis pour lui! pensa-t-il.

À partir de cet instant fatidique, il avait délaissé le père de la psychanalyse pour chercher consolation dans la lecture des œuvres de Proust, Maupassant, Lamartine, Baudelaire, Éluard, Spinoza, sans oublier les incontournables et controversés Castaneda et Bach. À coup sûr, ces hommes de lettres avaient emporté sa raison dans un temps hors du temps, là où l'esprit voyage au gré de l'imaginaire, du raisonnement ou des réminiscences de lointains passés. Toutefois, perpétuelle outarde migrante et obstinée, il était revenu vers les théories de Freud, autant les indigestes et inadmissibles que les géniales et inspirées. Pour lui, une telle disparité démontrait le côté humain du scientifique et du même coup, celui de l'humanité entière. *Qui n'a jamais commis d'erreur lui jette la première pierre...* se disait-il souvent, en écho avec le Jésus du Nouveau Testament, même si lui, l'athée, s'en voulait de reprendre des paroles de la Bible à son profit.

Œdipe regardait toujours le plafond. Le psychanalyste se sentit navré de s'être abandonné à la rêverie, même si son patient semblait également entraîné dans une dérive de l'esprit.

« Vous pouvez mentionner tout ce qui vous vient à l'esprit, un peu comme si vous étiez dans un train ou un autobus et que vous auriez à décrire le paysage qui se déroule sous vos yeux », l'informa Sigmund, espérant ne pas exercer lui-même une censure rigide aux propos de son client, causant préjudice au travail thérapeutique qu'il venait effectuer dans son cabinet.

Œdipe demeura muet un moment puis se mit à glisser sur la surface des mots, incapable d'approfondir sa pensée ou de parler d'autres sujets que la routine du quotidien et de quelques-uns de ses exploits. Il trébucha soudain sur un souvenir douloureux. La glace rompit. Des paroles tremblotantes furent bafouillées, à propos d'un abandon, avant qu'il ne s'enfonce de nouveau dans le cocon du silence. Au bout d'un moment, et semblant revenir d'un voyage quelque part dans le passé, il lança de manière énigmatique :

« Un vieux proverbe hindou affirme qu'*il n'existe pas d'arbre que le vent n'ait secoué*. Personnellement, je suis un arbre agité par la peur et la colère. La forêt qui m'entoure est contaminée par ma présence nuisible. »

Une pause accueillit ses mots. À de rares exceptions près, Sigmund la laissait s'installer tant et aussi longtemps qu'un client la désirait. Néanmoins, dissident de nature, il croyait fermement que le passage obligé du silence, en psychanalyse, ne convenait pas à tous et que son rôle consistait à s'adapter à chacun de ses patients ainsi qu'à sa première intuition, sans exagérer ou abuser de son libre arbitre. Pour lui, une première rencontre nécessitait certains ajustements. Il intervenait à quelques occasions pour ensuite, les sessions suivantes, adopter le vide requis permettant à l'analysé de remplir l'espace de ses propres silences ou aveux.

Œdipe reprit :

« Mon corps entier frémit à la perspective de mon écroulement.

– Pourquoi une perspective désastreuse devrait-elle survenir ?

– Parce que non seulement je suis éprouvé en tant qu'individu, mais selon des informations fiables, mes lignées précédentes ont vécu dans la tourmente de l'être et celles qui suivront ne seront pas moins épargnées. Je suis l'arbre issu de la forêt de mes ancêtres d'où proviennent mes maux et mes misères. Je suis l'arbre, à la lisière de la forêt de mes descendants, qui fera couler sur eux la sève âpre de l'ignominie.

– …

– Je dois contrer le destin qui m'est dévolu, sinon je ne serai jamais rien d'autre que l'arbre du chagrin, de la honte, de l'irresponsabilité et du mépris. Malheureusement, les feuilles de mon arbre sont toujours secouées par les bourrasques furieuses d'une fatalité inexorable. Je n'y peux rien… du moins pour l'instant. Mais, très bientôt, j'apposerai mes couleurs sur la toile de mon destin, en prenant soin, au préalable, d'effacer avec du solvant puissant toutes celles déjà présentes qui ne correspondent pas au tableau que je désire voir surgir de mes profondeurs. Mon arbre ne pliera plus l'échine sous la force des vents mauvais et il ne sera pas abattu, non plus, par une adversité malheureuse.

– Vous connaissez bien vos racines pour parler d'arbre, avança Sigmund.

– Pas du tout. Je m'exprime au figuré. »

Pour une raison inconnue, sa réponse indisposa Sigmund même s'il connaissait très bien l'importance et la place des symboles, particulièrement dans une analyse — sa thèse universitaire ayant porté sur le sujet. Il attendit patiemment la suite, qui ne vint que dix minutes plus tard. Œdipe prit une profonde inspiration et déclara :

« Mon histoire est complexe, un véritable roman-cycle. Tout ce que je souhaite, c'est changer mon vécu, passé et présent, ainsi que ses conséquences futures. »

Voilà qu'il recommence ! pensa Sigmund. *Pourquoi cet homme voulait-il tant troquer son histoire pour une autre, sa vie pour une soi-disant meilleure ? Qu'un individu ait un désir, soit ! Mais, il ne lui était pas donné automatiquement de le faire germer et de le voir éclore, surtout s'il ne s'enracinait dans aucune terre réaliste. Pourquoi s'entêtait-il à croire qu'il pouvait être le magicien de son existence ? Pour quelle raison trahissait-il la réalité en lui projetant ses illusions, ses chimères, rendant la vérité inaccessible à ses yeux et à son entendement ? L'épreuve du dégrisement serait grande...*

D'une voix menue que le psychanalyste eut peine à reconnaître, Œdipe demanda soudain :

« Puis-je vous appeler Sigmund ?

– Oui, bien sûr. Ça me va, répondit-il, même si cette demande n'était pas coutumière.

– Sigmund, mon passé est terrible et sa vérité repose sur un mensonge.

– Que voulez-vous dire ? » interrogea le médecin, regardant cet homme à l'allure athlétique se recroqueviller sur lui-même. « Comment une vérité peut-elle reposer sur un mensonge ? Ces deux notions ne sont-elles pas d'emblée en opposition ? »

Œdipe se tut. Il porta une main nerveuse à son front, dégagea une mèche de cheveux tombante puis affirma :

« Aucunement ! Vérité et mensonge sont accolés comme des siamois. Ils prennent appui l'un sur l'autre même si la majorité des gens se pavanent avec un écriteau sur lequel seule leur authenticité est inscrite. Je ne crois pas à cette proclamation. Il suffit de découvrir leurs véritables sentiments et pensées pour comprendre qu'une dualité est omniprésente.

« Personnellement, en forant la banquise de mon passé, j'ai pris conscience que mes parents biologiques ont ébauché mon sort sur un lit de mensonges et de trahisons. Ils ont menti à la vie en me la donnant pour ensuite chercher à m'en proscrire, à peine l'acte reconnu, à peine la pensée entretenue et dès ma naissance survenue. Je suis la déchéance, le mensonge de cette union, mais en même temps, la vérité — flagrance incontournable de la nature —, qu'ils ont préféré nier pour leur propre bien-être et salut.

« Aujourd'hui, il manque des chapitres importants à ma vie parce qu'au départ on m'a refusé l'accès à celui essentiel pour tout être humain: être aimé de ses propres parents. Du moins, est-ce le discours que j'entends parmi les branches de la forêt voisine, qui agitent les feuilles de son savoir. Pour cette communauté plus pensante, sans les assises solides d'un couple amoureux penché sur le berceau de l'enfance, point de salut. Tristounet de penser qu'ils ont peut-être raison, mais davantage d'imaginer qu'ils ont peut-être tort, voire même l'un et l'autre à la fois. Vérité? Mensonge? Allez savoir!

« Pour racheter la tromperie, la défection et la couardise de mes parents, je dois porter, aujourd'hui, le chapeau d'une fatalité éhontée et combattre le poison pernicieux, corrosif et toxique de leur haine, qui me colle à la peau et me fait croire que je suis un être rejetable et bannissable de la société.

« Sachez que, malgré l'héritage grotesque qu'ils me lèguent, je suis convaincu de pouvoir me libérer de l'emprise néfaste qu'ils exercent sur ma vie et mon destin. Pourquoi devrais-je renoncer à mon idéal? De toute manière, je ne crois pas qu'il existe de vérités infaillibles. »

Il fit une pause avant de compléter son idée.

« En fait, la vérité comporte plusieurs aspects et montre plusieurs visages. Elle prend la couleur d'une nation, d'une culture, d'une religion, d'une communauté, d'une famille, d'un couple, d'un individu. La vérité semble immuable, mais elle a la fragilité d'une pièce de porcelaine. Elle casse dès qu'un nouveau courant de pensée s'amène, qu'une interprétation différente surgit et que des conditions internes ou externes la transforment. Dans les faits, il n'existe pas de vérité infaillible, de mémoire infaillible, de médecine infaillible, d'humain infaillible. Tout est faillible sur notre petite planète. Du moins, je m'accroche à cette idée comme à une bouée de sauvetage. Parce que, grâce à elle, je commettrai une révolution personnelle qui bouleversera les assises de ma destinée.

– Si je comprends bien ce que vous me dites, la vérité change, s'adapte selon les circonstances, les gens et l'évolution de la pensée, ce qui vous permettra de transformer votre destinée.

– Exactement.

– Comment saurez-vous reconnaître le réel du fictif ou la vérité du mensonge quand viendra, pour vous, le moment d'affronter votre passé ? » ne put s'empêcher de demander Sigmund.

Œdipe prit un temps de réflexion avant de répondre calmement, ses paroles semblant émerger des profondeurs de son être :

« *La vérité a un cœur tranquille,* disait Shakespeare. Je le saurai tout simplement. Ma réponse n'est pas très logique ni scientifique, je l'admets, mais seul un sentiment d'unité, de complétude et de paix intérieure me révélera que je suis sur la bonne piste. »

Sigmund ne voulut d'aucune manière éteindre la flamme de sa certitude, néanmoins, il savait pertinemment qu'il existait aussi de faux sentiments d'unité, de complétude et de quiétude intérieure. À peine étaient-ils reconnus comme vrais que des évènements venaient en ébranler les souches et renverser leur sérénité toute relative. L'arbre tombait et avec fracas.

Œdipe ajouta d'une voix chevrotante, méconnaissable :

« Je veux vraiment croire qu'il y a... »

Plus rien. Son client se réfugia derrière le rideau invisible du silence, les yeux embués de larmes retenues. Il ressemblait à un môme abandonné. Désarmé. Que venait-il de se passer ? Pourquoi cette tristesse subite, alors qu'un moment plus tôt il évoluait dans un espace totalement différent ? Quel était ce mystère au bout de cette phrase demeurée en suspens, pour ne pas dire en suspense : « *Je veux vraiment croire qu'il y a...* » ?

Les minutes de l'horloge s'égrenèrent au rythme d'une tortue. Sigmund décida de ne plus intervenir activement. De toute évidence, cet homme se livrait à une bataille intérieure importante. Du matériel inconscient remontait sans doute à la surface sous forme de souvenirs, le rendant muet, incapable de les traduire en mots ou de se laisser aller à leur charge émotive.

Quoi qu'il en fût, des ombres mystérieuses entouraient l'histoire d'Œdipe. S'y avancer, trop près et rapidement, ou y projeter une lumière directe comportait le risque d'un retrait en lui-même encore plus grand. Mieux valait concéder au temps l'édification d'un lien de confiance permettant peu à peu le relâchement des résistances afin que les divulgations libératrices deviennent envisageables. Accepterait-il ce lien ou s'en défendrait-il avec vigueur ?

Sigmund voulut annoncer la fin de la séance à son patient, mais il resta là, plongé dans la plus profonde perplexité.

2

La pluie lourde et neigeuse s'abattait sur la ville de Londres couverte par endroits de larges nappes de brouillard. La résidence de Sigmund Dorland, dans le quartier cossu d'Hamstead, avec sa façade en briques rouges et ses fenêtres aussi blanches qu'un drapeau de paix, ressemblait à une sentinelle montant la garde. Durant la saison estivale, une rocaille vallonnée, aménagée sur le parterre avant, accueillait avec élégance des arbustes, des vivaces et des annuelles. Invariablement, une lueur admirative brillait dans les yeux des promeneurs, surtout lorsque la lumière de dix-huit heures les prenait de biais, les enveloppant d'une troublante et mystérieuse beauté.

Œdipe referma la porte du psychanalyste derrière lui et marcha le long de la rue Maresfield Gardens bordée d'arbres bicentenaires. Il y circulait depuis déjà trois semaines, dans un aller-retour assidu pour sa psychanalyse, connaissant presque par cœur chacune des ébréchures et crevasses du trottoir. Rarement, il regardait vers le haut quand son cœur touchait le fond. Et cette cure avait le don de le ramener vers des fosses intérieures où des blessures graves du passé gisaient, béantes, dans des mares de sang pestilentielles. Pourtant, une force de vie y réclamait une trêve, une remontée vers la délivrance. *N'abandonne pas!* se répétait-il à lui-même, surtout lorsque les haut-parleurs de sa peur lui criaient de prendre ses jambes à son cou et de fuir le plus loin possible de sa thérapie analytique... de lui-même.

Œdipe s'arrêta un moment devant la résidence où Sigmund Freud vécut jusqu'à sa mort après son départ précipité d'Autriche. Convertie en musée reconstituant soigneusement son cabinet professionnel ainsi que sa bibliothèque à Vienne, elle attirait des gens de tous les coins du monde qui souhaitaient visiter ce lieu dédié autant à la mémoire du grand maître de la psychanalyse qu'à celle de sa fille Anna.

Emmitouflé frileusement dans une veste molletonnée, Œdipe poursuivit son chemin, admirant au passage le tronc géant d'un figuier d'Égypte avant de filer vers le Trinity Walk, une voie en pente réservée strictement aux piétons. Il déboucha sur la rue commerciale Finchley, repéra la bouche d'entrée du métro souterrain et s'y engouffra sans croiser un seul regard. Les marcheurs l'auraient-ils remarqué, de toute façon, perdus qu'ils étaient dans leur univers et leurs pensées? Leurs yeux ne se braquaient jamais sur lui, à croire qu'il était invisible! Non pas qu'il désirait être vu par tout un chacun, mais il aurait bien aimé comprendre pourquoi les êtres humains marchaient la tête baissée, semblables à des robots guidés par le mécanisme mal huilé de l'individualité. Pour quelle raison la société moderne se repliait-elle derrière une réserve presque maladive? La population entière ne se trouvait tout de même pas en thérapie, oubliant elle aussi de regarder droit devant ou vers le ciel! Peut-être que les gens choisissaient, inconsciemment, de s'enfoncer en eux-mêmes pour échapper à leur souffrance, souvent amplifiée par celle perçue en l'autre. *Zut! Et si ces individus souhaitaient tout simplement ne pas être dérangés dans leurs cogitations ou qu'ils frissonnaient à s'en rabattre le capuchon sur le nez?*

Œdipe emprunta le couloir menant à la ligne Metropolitan, embarqua dans le wagon se dirigeant vers la station Baker street et de là prit le train Jubilee vers London Bridge. Installé près de la fenêtre, il ferma ses yeux et se laissa porter par le roulis ferroviaire, bruit métallique à cent lieues des vagues de la mer, mais apaisant par sa continuité. Soudain, des ombres affluèrent dans son esprit. Les chasser hors de sa conscience s'apparentait aux manœuvres de l'équipage du Titanic tentant d'éviter, à la dernière minute, un iceberg à trente mètres des parois insubmersibles. Irréalisable ! Des images bouleversantes défilaient sur son écran blanc intérieur, sans possibilité d'esquiver leurs présences ni leurs profondeurs.

L'une d'elles s'entêta. Un bébé de trois jours, les pieds percés et ligotés, s'agitait dans un taillis d'une montagne pierreuse et sauvage. Son existence venait de basculer, de changer sa trajectoire. Laissé pour compte dans un lieu inconnu, loin des siens, il expérimentait dans sa chair la déchirure de l'abandon et l'imminence de sa mort. Le sang s'échappait par ses pieds, sa vie, par son souffle. Dans le brouillard dense le voilant aux regards possibles de sauveteurs, ses forces le quittaient peu à peu. Un long vagissement troua le silence...

Le train s'arrêta brusquement. Œdipe sursauta. Cette irruption abrupte dans la réalité accentua sa respiration à la limite de la rupture. S'il ne retrouvait pas ses esprits, sa peur l'enverrait tout droit dans l'autre monde. Il n'allait tout de même pas mourir bêtement dans un wagon, perdu quelque part dans un tunnel de Londres, sans avoir dénoué l'impasse de sa vie ! Au bord de l'épuisement et trempé de sueur, il tenta de calmer les battements précipités de son cœur. *Vivement que vienne la sortie du tunnel pour respirer plus amplement.*

« Prochaine station, London Bridge » annonça une voix nasillarde et traînante dans les haut-parleurs, alors que les moteurs redémarraient et que la locomotive avalait les quelques mètres la séparant du quai. Œdipe se leva, les jambes flageo-lantes, et d'un pas ivre se dirigea vers les portes qui, à l'arrêt, s'effacèrent devant lui en grinçant. Doutant de se rendre à bon port, il aborda le premier banc en métal et s'y écrasa, livide, accotant sa tête contre le mur graffité. Il attendit de longues minutes. Une rumeur, de plus en plus lointaine, indiquait l'éloignement du train dans les parois souterraines du métro.

Œdipe, le cœur en cavalcade, demeura impuissant à s'extirper de sa stupeur. La vision lui rappelait que les dés, pipés à l'avance, ne pouvaient être repris et relancés sur la table de la conciliation ni même sur celle du compromis. Rien ne pouvait changer un évènement si sa mission était d'advenir. Pourquoi s'acharnait-il à remuer ciel et terre pour gagner une liberté inatteignable ? Erreur risible, s'il en était une, de s'imaginer forcer le destin à nouer avec son désir profond de changement. Pourtant, une pulsion proche du vertigineux, de l'impensable, le poussait à croire qu'au-delà de la signature irrémédiable de la fatalité se cachaient d'autres options et que, derrière la perfection minutée du déroulement d'une vie, peu importe laquelle, se profilait un libre arbitre capable de réécrire l'histoire, la sienne.

Œdipe regarda autour de lui afin de s'ancrer dans la réalité et, ainsi, atténuer son malaise. Çà et là, des papiers et différents rebuts traînaient, indices flagrants de la masse humaine ayant parcouru le quai central.

Soudain, une femme, sortie de nulle part, passa devant lui. Elle s'immobilisa puis se tourna dans sa direction. Ses yeux s'écarquillèrent de stupéfaction et s'attardèrent sur sa personne comme si elle rencontrait une vieille connaissance. Tour à tour, son visage exprima l'étonnement, l'apaisement et le ravissement. Elle hésita un moment et vint s'asseoir à ses côtés, un frisson de bonheur semblant se propager dans tout son être jusqu'à former un sourire sur ses lèvres. Curieusement, au lieu d'aborder Œdipe, elle demeura silencieuse, extatique, le regard fixé sur lui, dans le vague.

Cette dame rondelette, dont les courbes ingrates éloignaient sûrement les hommes attirés par les femmes bien galbées, affichait un air sympathique et jovial. Dans la jeune cinquantaine, revêtue d'un manteau anthracite quasi religieux, elle portait, en bandoulière, une sacoche à motifs fleuris. Ses cheveux, parsemés ici et là de filaments gris, étaient remontés à l'avant par des lunettes de soleil, dégageant son visage constellé de minuscules étoiles roussâtres. Quant à ses magnifiques yeux, ils lui rappelaient la couleur soyeuse de la Méditerranée, la grande bleue, vision dont il refusait de se détacher même si, baissant les paupières, intimidé, il n'en gardait que le souvenir.

Œdipe sentit l'étau dans sa poitrine se desserrer et ses poumons emmagasiner un peu plus d'air. Il regarda de nouveau la femme. Elle fouillait dans sa besace d'où elle extirpa un cahier qu'elle ouvrit et un stylo à bille noir qu'elle décapuchonna, avant d'observer son voisin d'une façon étrange. Comme si elle le voyait, mais pas tout à fait. Elle jeta un regard vers le plafond, rêveuse, puis contempla la page blanche avant de répandre ces quelques mots :

J'ai trouvé le personnage de mon prochain livre. Il se tient à mes côtés. Un jeune homme à la silhouette apollinienne, les cheveux bouclés noirs et les yeux aussi bleus que le ciel quand aucun nuage ne traverse sa splendeur. Je ne saurais dire s'il vient d'ici ou d'ailleurs, car il semble appartenir à aucune époque. Qui est-il ? Pourquoi je ressens une telle détresse en lui ?

Œdipe se figea sur place, sidéré. Malgré son tempérament discret, il n'avait pu s'empêcher de lire les mots de la dame.

« Bonjour ! » amorça-t-il, sans succès.

Cet homme a l'air triste. Si triste. Des larmes voudraient se répandre sur ses joues, mais quelque chose le retient de l'intérieur et le hante. Que donnerais-je pour rencontrer sa pensée au-delà des cloisons mystérieuses qui l'entourent?

Œdipe éprouva un malaise intense, analogue à celui d'être découvert, mis à nu sans son consentement. Par le biais des mots d'une inconnue, une écrivaine de surcroît, il touchait à cette part rebutante en lui, la tristesse, celle qu'il refusait d'exprimer autant secrètement que publiquement. Il ressentit l'envie instinctive de filer loin de cette femme, de se réfugier derrière une barricade afin qu'elle ne puisse sonder davantage les profondeurs de son être. Il demeura sur place, se rassurant à l'idée que cette personne, même si elle traduisait brillamment sa dérive, n'en connaissait pas les fondements ni ne pouvait les traduire ou les interpréter de manière juste.

Œdipe renouvela sa salutation sachant qu'en pleine action les virtuoses des mots s'enfuyaient dans leur univers au point de ne plus entendre, autour d'eux, que de lointains murmures. Elle tressaillit, cessa de faire courir sa plume sur sa page et se tourna vers lui, médusée, une onde de frayeur dans les yeux. Sans répondre, elle revint, nerveuse, vers son cahier.

Surpris par sa réaction, il l'aborda une seconde fois, ne voulant guère passer pour un harceleur.

« Bonjour ! »

La femme se leva d'un bond comme traversée par un courant électrique. Elle regarda l'individu, ne cherchant pas à dissimuler son effarement. Une sueur glaciale monta le long de son dos, se précisa dans la région de son thorax avant de perler à grosses gouttes sur son front moite. Hébétée, elle baissa promptement ses verres fumés sur son nez, tentant de se protéger de l'éclat d'une réalité qu'elle espérait aussi fausse que certains de ses jugements. En vain. L'homme la scrutait avec gravité, son regard rivé sur elle dans un échange muet où la confiance cherchait à l'emporter sur l'inquiétude.

Le silence fut rompu par un train entrant en gare. À peine les portes ouvertes, une marée humaine bruyante se déversa sur le quai. De part et d'autre, des gens couraient dans toutes les directions, entraînés par leur défi respectif au temps. L'idée de disparaître, de se fondre dans cette foule impersonnelle s'insinua dans son esprit. Cependant, elle resta là, plantée comme un piquet, le cœur cognant dans sa poitrine, impuissante à réagir devant les derniers effluves de sa raison s'échappant dans une hallucination.

Avec la rapidité que la panique donne aux personnes menacées, elle tenta de se remémorer sa journée afin d'y repérer un indice permettant de comprendre son déséquilibre passager, en espérant qu'il s'agissait bien de cela. Rien. Son quotidien avait suivi la même routine : réveil sous les sons stridents d'un minuscule cadran lumineux, douche écossaise vivifiante, habillement selon la prévision météorologique et préparation ainsi que dégustation du petit-déjeuner. Par habitude, elle avait ensuite répondu à ses courriels, retourné ses appels téléphoniques et, avant de quitter la maison, enfilé un long manteau couleur charbon, sorte de protection symbolique contre le regard des autres. D'un pas nonchalant, mais heureux, elle s'était engagée dans l'Underground transport en direction du terminal où elle avait attrapé le train de onze heures vers la Mer du Nord.

Elle fréquentait souvent ces berges, passant des heures à observer les vagues se succéder et s'échouer avec force ou douceur sur la plage de sable blond ; magnifique ruban de dentelle ourlant la robe de la mer. Chaque jour, celle-ci soulevait ses plis et, par vagues ondulantes, accouchait de ses trésors sur la rive : petits crabes, coquillages, étoiles de mer et, parfois même, une bouteille de rêveur. Cette immense étendue d'eau salée se révélait un puissant ressac d'inspiration pour l'écriture de ses livres, en plus de lui apporter un incroyable sentiment de sérénité. Mais voilà qu'au retour de son périple, cet homme, mi-réel mi-fictif, troublait sa raison et éveillait en elle une angoisse diffuse.

La femme tenta de se rassurer, en se disant que les gens de lettres, en raison de leur extrême sensibilité et imagination foisonnante, possédaient la faculté de sonder les mondes voilés pour y repérer des personnages qui alimenteraient leur roman. Rien n'y fit. Car, de là à voir l'un d'eux se matérialiser concrètement sur la scène du tangible, il y avait une marge à ne pas franchir par souci de santé mentale. Le réel, l'imaginaire, comment les différencier? Elle-même ne le savait plus. Cet être, pourtant, elle l'aurait crié sur tous les toits, n'existait que dans sa pensée, nullement incarné dans la dimension physique. Sa méprise provenait sûrement de ce halo à peine perceptible l'entourant, sorte de lueur douceâtre formant une couche de mystère autour de lui. De plus, son habillement excentrique, aperçu sous son manteau ouvert, nul doute, contribuait à renforcer sa confusion.

Un autre métro quitta la station. Si elle ne se ressaisissait pas rapidement, elle serait en retard pour ses cours en astrophysique portant sur le délai temporel et les mirages gravitationnels. Inscrite à cette série pour en apprendre davantage sur ces deux sujets précis, elle ne désirait guère manquer le coche. D'ailleurs, peut-être vivait-elle présentement une de ces distorsions lumineuses, genre de préambule insolite à son cours? Comment savoir ce que les objets ou les individus suggéraient à l'esprit fatigué quand la lumière s'emparait d'eux et que, sous certains angles, elle les déformait! Pour le moment, sa seule option consistait à s'accrocher à une théorie abstraite pour expliquer le halo perçu autour de l'homme à ses côtés. Sinon, les nuages viendraient vite chargés de larmes et d'une réalité dure à accepter: la folie.

Oh et puis zut! Le réel et l'imaginaire... à quoi bon m'en faire? pensa-t-elle, cherchant à alléger un doute persistant au creux de son être.

Œdipe, qui n'avait pas bronché, vit les épaules de la dame se relâcher, son tumulte intérieur s'apaiser et un sourire refleurir sur ses lèvres. Pourtant, une crainte apparente s'inscrivait en faux contre sa nouvelle attitude. Devait-il confronter cette personne une autre fois ou s'éclipser dans la jungle humaine qui revenait à la charge?

La femme prit une profonde respiration, ignora son voisin et jeta des mots dans son cahier, se disant qu'à tout le moins cet individu réel ou spectral l'aurait inspiré.

Je sais comment j'aborderai mon second roman. Une rencontre dans le métro de Londres avec un étranger insolite, porteur de lourds secrets. Je lui ferai entreprendre une psychanalyse et, peu à peu, il se délestera de ses tourments...

Œdipe, d'une indiscrétion sans faille, sursauta de nouveau à cette lecture et ne put s'empêcher de lancer:

« Mais, je vois déjà un psychanalyste! »

Elle continua d'écrire, sans se préoccuper de lui.

Bien sûr! Je mettrai en relief la forteresse qui l'entoure, mais aussi, l'extrême vulnérabilité de celui qui a souffert de ne pouvoir défendre son territ...

« Qui êtes-vous, bon sang? Ça vous ennuierait de me le dire?

– Chut! Ne dérangez jamais l'écrivain quand il écrit. »

Œdipe détourna les yeux du cahier, bouleversé. Comment cette femme, une inconnue, pouvait-elle si bien décrire son présent et ses états d'âme? D'où venait-elle? Pourquoi en connaissait-elle autant sur lui?

Perdu dans son tumulte intérieur, il entendit à peine les mots qu'elle prononça d'une voix grave.

« Mon Dieu! Êtes-vous réel? »

Ne recevant aucune réponse de son voisin, elle répéta:

« Êtes-vous réel ? »

Œdipe tressauta, se tourna vers la dame, ébahi d'être à son tour dévisagé.

« Vous dites ?

— Êtes-vous réel ? s'enquit-elle pour la troisième fois. J'ai besoin de savoir.

— Tout dépend de ce que vous entendez par réel, déclara-t-il sous le choc.

— Vous savez, des molécules, des os, des veines, de la peau...

— Ah ! Vous parlez de ce paquet homogène constituant l'être humain.

— Rien de moins !

— ... et qui n'existe que sous le regard de l'autre ?

— Que voulez-vous dire ?

— Existez-vous sans le regard de quelqu'un posé sur vous ? »

Un moron, ce type ! songea-t-elle avant de lui répondre :

« Bien, euh... Je n'ai besoin du regard de personne pour savoir que j'existe ! *Je pense, donc je suis*, disait Descartes. Cela ne suffit-il pas ? »

Puis, elle ajouta, excédée :

« Pourriez-vous me répondre, à la fin ? Oui ou non, êtes-vous réel ?

— On ne peut plus réel pour une personne qui sait me lire aussi bien que vous.

— Ça ne m'aide pas !

— Écoutez, c'est moi qui devrais vous demander si vous êtes de ce monde. J'admets que ma curiosité délinquante m'a amené à poser mes yeux sur votre feuille, mais sans elle, j'ignorerais à quel point un être peut me deviner et me déchiffrer avec une telle acuité. J'en frémis encore. Je vous assure, c'est vraiment déroutant, paniquant même, de vous voir écrire sur mon sujet ! Dites, me connaissez-vous ?

– Sous toutes vos coutures, puisque vous êtes mon prochain personnage de livre. »

Œdipe demeura bouche bée devant cette réponse candide.

« Que diriez-vous de m'offrir, à votre tour, une réponse plus satisfaisante ?

– D'accord, d'accord ! Appelez cela de la voyance, de l'instinct, de l'intuition, de l'imaginaire. Je ne sais pas. Les mots viennent spontanément en observant une personne, particulièrement si elle m'inspire. En sa présence, mon imaginaire s'anime et je m'abandonne à ses infimes vibrations d'intuition qui finissent par enfler au point de combler l'écart entre le réel et la fantaisie… à moins qu'elles ne le creusent, tout simplement. À mon avis, l'imagination demeure rarement neutre. Elle représente la partie médiane de la création, le fil conducteur sur lequel tout est possible, où tout peut basculer d'un côté ou de l'autre, soit vers le tangible, le terre-à-terre, soit vers le chimérique, le mystérieux ou le fabuleux. Je déverse alors mon encre sur la feuille blanche tel un analysé qui se répand en mots devant son psychanalyste : n'importe comment, sans censure, aléatoirement. Par la suite, je fais le tri de ce que je garde ou non et je peaufine mon texte.

– Il doit certainement y avoir bien plus qu'une imagination débordante dans votre esprit. Comment faites-vous ? Quel est votre truc pour écrire sur un individu avec une telle précision et au premier regard ? » lança Œdipe.

Un soupir s'échappa des lèvres de la dame.

« À la vérité, je vous l'assure, c'est ma tête qui s'occupe de tout. Je suis une éponge ayant absorbé d'innombrables informations et celles-ci, au moment opportun, deviennent de véritables levains gonflant ma créativité. Mes montées d'inspirations au contact d'une personne, d'un objet ou d'un paysage se confondent avec la couleur de mes pensées, de mes sentiments et de mes émotions. Une mystérieuse alchimie se produit en moi. Une idée géniale — parfois carrément lamentable — prend naissance et elle s'accroche à mes basques tant et aussi longtemps que je ne lui offre pas une page blanche pour s'allonger. Il y a fusion entre elle et mes perceptions. Je deviens la messagère, l'agente de liaison des mots. Et le plus intéressant, c'est qu'au fil de l'écriture, mes personnages deviennent quasi réels. À mes yeux, on s'entend. Je les habite, ils m'habitent, nous nous habitons.

— Je vous habite ?

— Euh... Non... Je veux dire oui. Enfin... Non. Je ne sais plus. Il y a quelques minutes, vous étiez une vague impression, maintenant, vous êtes une certitude ancrée dans le réel. Enfin, je pense...

— Vous pensez ?

— Oh là là ! Ce que vous pouvez être rasant quand vous le voulez !

— Possible, fit Œdipe en riant. Puis-je me risquer à vous poser une autre question ? Je ne rencontre jamais d'écrivain en face à face.

— Que de biais ?

— Vous possédez une répartie fine, mais, attention, vous pourriez avoir raison. Vous m'avez bien penché sur votre feuille, tout à l'heure.

— Très drôle. Allez, posez-moi cette question délicate qui vous tenaille, car le train devrait arriver d'une minute à l'autre.

— D'accord. Un personnage dit "fictif" dans l'un de vos romans, laisse-t-il des traces chez le lecteur ?

— Dans quel sens ?

– Celui que vous voulez.

– Une autre de vos questions pertinentes, à ce que je vois. Ma réponse est oui. Mais seulement dans son esprit.

– Donc, le personnage existe, il prend vie au moment où un lecteur parcourt les phrases d'un bouquin.

– Pas dans le sens concret, puisque l'esprit est une abstraction. Quand je mentionne que mon personnage devient presque réel, c'est qu'il pourrait facilement ressembler à quelqu'un que vous connaissez, éprouver des émotions que vous avez déjà ressenties, voir ce que vous avez déjà vu. Enfin, vous comprenez.

– Pourtant, vous mentionniez qu'un personnage laisse des traces...

– Comprenez-vous ce petit mot: *esprit*? Il ne faut surtout pas confondre l'imaginaire et la réalité! »

Mon Dieu, suis-je en train de dire cela? pensa-t-elle, nageant dans la confusion à ce sujet.

« Je devrais plutôt poser différemment ma question: le fictif influence-t-il le réel?

– Je ne le sais pas. Mais, dites-moi, quelle mouche vous a piqué?

– Une mouche, pourquoi?

– On dirait que vous êtes emporté par je ne sais trop quel besoin de saisir le concept de la réalité.

– Peut-être! N'étais-je pas un personnage, donc irréel, pour vous, au moment de notre rencontre? J'ai envie de vous poser une autre question.

– Mais, ne vous gênez surtout pas.

– Une mouche pense-t-elle?

– Décidément, vous ne lâchez pas le morceau quand vous le tenez! Bon! Si cela peut vous faire plaisir... Voyons voir... une mouche pense-t-elle? Je ne sais pas. Quoi qu'il en soit, elle possède un système logico-agaçant-irritant qui lui permet de déterminer le moment précis où elle me jouera du blues dans les oreilles, c'est-à-dire le soir, dans ma chambre, lorsque j'essaie de m'endormir.

– Et si la mouche ne vous joue pas une symphonie en blues majeur au moment crucial de l'endormissement, existe-t-elle tout de même?

– Bien sûr.

– Et pourquoi?

– Parce que je sais qu'une mouche existe.

– Et comment le savez-vous?

– Parce que j'en ai déjà vu une et même plusieurs! Ça ne va pas la tête?

– Donc, la vision, le regard est important pour déterminer de l'existence de l'autre, qu'il soit réel ou non... »

Ce mec commence à m'énerver royalement! ne put-elle s'empêcher de penser. Une petite question, toute simple, minuscule — « Êtes-vous réel? » — avait entraîné un déluge argumentaire quasi socratique. Mieux valait mettre un terme à cette étrange conversation que deux êtres humains bien incarnés se permettraient rarement d'entreprendre lors d'un premier entretien. À moins, évidemment, d'avoir affaire à deux étudiants zélés en philosophie, dont l'intérêt consisterait à démontrer que leur cerveau, loin de rester inactif, foisonne d'idées rocambolesques et profondes qu'aucune attente ne saurait justifier d'en taire les effervescences.

« Pour répondre à votre question, j'imagine que, oui, le regard est important pour déterminer de l'existence de l'autre.

Par contre, ce qui ferait davantage de sens pour moi, en ce moment, serait d'embarquer dans le prochain wagon de métro.

– Bien sûr. J'y vais un peu fort comme entrée de jeu. Toutefois, admettez que notre rencontre sort de l'ordinaire. Le temps d'une attention et, en un tournemain, je cours sur les pages de votre cahier, je prends vie sous votre plume d'une manière, ma foi, drôlement symbiotique avec la réalité. Enfin, quand je dis réalité, je...

– Tut, tut! Qui connaît la réalité? N'abordons pas ce thème, au risque de décoller vers des contrées encore plus fertiles d'idées, de suppositions et surtout d'interrogations. Néanmoins, je conviens, presque à contrecœur, que vous êtes une personne assez intrigante. Vous piquez ma curiosité.

– J'apprécie beaucoup votre *à contrecœur*, souligna-t-il en riant. Il me servira de repère pour stopper quelques-uns de mes emportements verbaux lors de retrouvailles avec vous, car sachez-le, votre *à contrecœur* n'en diminue pas moins mon désir de vous revoir, chère dame. Numéro de téléphone? Apprivoisement? Adresse? Adieu?

– Aspirine.

– Aspirine?

– Oui. Ma tête va exploser.

– Je suis allergique à l'acide acétylsalicylique. Je n'ai donc aucun cachet sur moi. Désolé.

– Oh! Ce n'est pas grave. En sortant du métro, j'irai me procurer une bouteille à la pharmacie du coin.

– Vous m'êtes très sympathique, Madame. Puis-je vous proposer une rencontre la semaine prochaine, même jour, même heure, même place? s'enquit Œdipe, dont l'air calme masquait une certaine crainte de voir la dame s'éloigner sans un engagement avec lui.

– Pourquoi pas ! Une heure plus tôt serait préférable. J'ai des cours le soir.

– Marché conclu ?

– Oui », répondit-elle, spontanément, se disant qu'elle était imprudente d'accepter un tel rendez-vous.

Qu'est-ce qui me prend ? pensa-t-elle. *Ai-je définitivement perdu la raison ou bien cet homme, un peu trop beau, un peu trop différent de la norme, a trouvé le moyen d'attendrir mon cœur avec ses paroles étranges, mais distrayantes. À moins qu'il ne me tende un piège…*

« D'accord, c'est noté. À la semaine prochaine ! déclara rapidement Œdipe, comme pour empêcher qu'un vent contraire ne vienne faire obstacle à cette décision, décelant une soudaine ambivalence dans son attitude.

– Oui, oui. À la semaine prochaine.

– S'il vous plaît... votre nom ?

– Julia. Le vôtre ?

– Œdipe. »

Elle sursauta, écarquilla les yeux, sourit d'un air énigmatique et le salua de la main avant de lui tourner le dos et de s'éloigner en courant vers le train. Aussitôt embarquée, les portes se fermèrent derrière elle dans un grincement strident et le convoi s'ébranla sur les rails, prenant de la vitesse vers le tunnel.

Julia ! Quelle femme ! murmura Œdipe. Il ferma les yeux, à la fois ravi et inquiet de cet échange au caractère inusité. Pourquoi l'avait-elle perçu comme un être irréel ? Et pour quelle raison l'ironie ne s'était-elle pas inscrite sur son visage à l'énoncé de son nom ? Habituellement, les gens le regardaient avec effarement comme s'ils avaient affaire à un fou, avant de rire de la bonne plaisanterie dont ils se croyaient les victimes. Personne ne s'aventurait à penser une seule seconde que son nom pouvait effectivement être Œdipe. Las de ces railleries, il ne détrompait pas les gens, les laissant à leur hilarité et leurs pointes d'humour. À quoi bon justifier sans cesse son identité? Déjà que pour lui, elle représentait une montagne à escalader pour la définir et l'établir.

Tout à coup, sous ses yeux clos, une vision sinistre, oppressante s'imposa de nouveau, démontrant que la précédente ne l'avait jamais vraiment quittée. Cette fois-ci, il se retrouvait au cœur de la scène, à observer le bébé agonisant sur la montagne. Brisé par la douleur devant ce spectacle d'une immense cruauté, il se mit à implorer le ciel d'extirper ce poupon de son impasse. Visiblement, ses forces diminuaient de minute en minute. Ses lèvres étaient craquelées, brûlées par la fièvre tandis que sa langue, gonflée et bleutée, l'empêchait de respirer correctement. Ce môme ne survivrait pas à cette nuit dont le pendule réfrénait de plus en plus son battement.

Soudain, Œdipe fusionna corps et âme avec le bébé. Aussitôt, une douleur terrible lui arracha des plaintes. Autour de lui, la brume s'épaississait, glissant sur les environs comme une procession lugubre. Puis, peu à peu, son esprit acquit la légèreté d'une hirondelle et un effluve translucide chercha à se libérer de son corps pour s'élever doucement au-dessus de lui. Incapable de calmer sa respiration, il se mit à râler. Près de lui… un mouvement... une agitation… et le silence.

Œdipe émergea de cette vision en sueur avec la sensation d'être prisonnier d'une immense toile d'araignée. Il dut se faire violence pour s'extirper de son malaise. Lorsque son souffle s'apaisa, une décision ferme s'instaura en lui: il mettrait fin à sa cure psychanalytique. Certes, les projections pénibles, sur son écran mental, avaient débuté de manière sporadique, quelques semaines avant sa rencontre avec le psychanalyste. Mais à peine quelques séances effectuées avec lui et voilà que, désormais, ces images survenaient à tout moment dans son esprit, sans avertissement, comme d'une boîte à surprise, mais avec un saisissement funèbre plutôt que joyeux. Ces visions spontanées fragilisaient son quotidien, infestaient ses nuits et boursouflaient son sentiment d'impuissance. Incapable de supporter davantage ses manifestations, il n'avait d'autres issues que de s'éloigner de ce qui lui semblait en être la cause dévastatrice : son analyse. Il appellerait Sigmund le lendemain matin, pour l'informer de sa décision.

Œdipe se leva avec difficulté, évitant les passants qui se précipitaient tête première vers leur lieu de rendez-vous. L'impression de flotter entre deux univers ne le quittait plus. Un jus frais au Trafalgar Square Cafe près de la National Gallery ranimerait sûrement son énergie défaillante.

Dehors, la lumière vive d'un réflecteur le fit plisser des yeux. Malgré l'heure tardive, les gens promenaient leur peau de misère et d'illusions sur les voies piétonnières glissantes. Ils paraissaient collectivement anesthésiés. Œdipe se déplaça péniblement dans la nuit froide. Le trajet semblait interminable.

Un clochard, déambulant, l'air hagard, s'approcha de lui et sollicita son attention en brandissant, telle une arme à feu sous son nez, une boîte métallique dont il faisait sonner avec tapage les quelques pièces de monnaie qui s'y trouvaient.

« Monsieur, monsieur, des sterling, s'il vous plaît. »

Œdipe le toisa. La bouche de l'individu exhalait une forte odeur d'alcool et son être entier entérinait les mots *tragédie humaine* : laideur, loques, déchéance et mendicité. En guise de sourire, le clochard lui présenta quelques dents noircies et continua de secouer sa canette.

« Ça va ? Vous avez l'air triste, monsieur », mentionna-t-il à Œdipe.

Diantre ! C'est le monde à l'envers ! Tout comme Julia, ce miséreux avait remarqué sa tristesse d'un seul regard ! Était-elle si flagrante ?

« Allez, monsieur, quelques piécettes… »

– D'accord. »

Ce gueux, malgré son infortune évidente, affichait un air différent des autres sans-logis rencontrés au cours de sa vie. Une flamme étrange brillait dans ses yeux. Pourquoi cet homme vivait-il dans la rue, à boire et manger à la faveur de ses collectes monétaires? Nonobstant sa pauvreté — atténuée, à l'occasion, par la générosité touchante, maladroite ou carrément issue d'un fond de culpabilité de certains marcheurs —, il devait sûrement posséder quelques rêves et passions secrètes. Lesquels?

De toute évidence, lui et ce clochard connaissaient une parenté de misère indéniable. Ils éprouvaient une solitude profonde, creuse, vide de sens, l'un quêtant l'obole et l'autre la compréhension. En fin de compte, n'était-ce pas la même chose? Ils avaient appartenu à une famille et avaient été reniés par elle, sinon, ni l'un ni l'autre ne vivrait dans l'errance et l'égarement. Il s'agissait là de la triste mais incontournable réalité, à tout le moins, celle soutenue par les autorités en matière de comportements.

« Alors, ça vient cette merde... euh... cet argent?

– Ça va, ça va! Du calme! répondit Œdipe, les mains dans les poches à la recherche de piécettes, songeant que leur manière d'exprimer leur gouffre, toutefois, différait largement. Vous n'avez pas froid en petite chemise?

– Ah, les riches! Ils s'imaginent pouvoir nous sauver. Ne m'offrez surtout pas un p'tit vison pour réchauffer ma vieille carcasse, un vin et un vingt feront l'affaire, si vous comprenez ce que je veux dire, répondit-il cyniquement.

– Un repas?

– De l'argent, ronchonna-t-il.

– Voici. »

Œdipe déposa la monnaie dans sa main calleuse et tremblante de froid. L'homme, satisfait, ébaucha un sourire et, curieusement, le retint aussitôt, une pudeur presque ridicule fondant sur lui. Il ajouta :

« Et... un repas ?

– Un repas ?

– N'est-ce pas ce que vous m'avez offert ? »

Œdipe hésita. Devait-il lui donner un surplus d'argent pour qu'il aille s'acheter un souper ou l'inviter au restaurant ?

« Un sandwich au Trafalgar Square Cafe, ça vous irait ? demanda-t-il non sans une pointe d'impatience dans la voix.

– Pas du tout. J'aurais préféré un *Filetto di Manzo al Pepe* à la Trattoria Italiana Biago. Ça m'aurait remonté le moral de manger un tendre filet de steak grillé arrosé de crème et de brandy. Mais, si vous payez l'addition, je vous suivrai dans votre petit restaurant populaire bon marché. »

Quel culot ! pensa Œdipe. Ce n'était pas juste son moral qu'il voulait remonter, mais son taux d'alcool dans le sang et la tension nerveuse de son bienfaiteur ! Et puis, le Trafalgar ne s'avérait aucunement un restaurant à dédaigner !

« Bien sûr que je vais payer ! Je ne vous inviterais pas sans cela ! s'exclama Œdipe, acerbe.

– Êtes-vous toujours aussi grognon ? Si votre compagnie est désagréable à ce point, je prends mon grabat, quelques petites coupures et je me barre.

– Vive la reconnaissance ! Et ces joyeuses coupures, que vous mentionnez avec l'insouciance de celui qui croit qu'elles lui appartiennent déjà, elles viendront de ma poche, évidemment ?

– Évidemment. Pourquoi ?

– Rien. Allez, suivez-moi !

– Je ne prends pas d'ordre.

– Vous plairait-il, cher Monsieur, de partager la croûte avec moi dans un magnifique bistrot?

– Si vous le voulez. Et puis, c'est gentil d'insister... »

Tout à fait détestable ce miséreux, sans compter qu'il gouaillait son sauveur d'un soir avec un peu trop d'aisance. Comment en était-il venu à s'impliquer avec cet hurluberlu? Décidément, certains matins méritaient une flânerie oisive dans le lit plutôt qu'un avancement dans une journée dont les fils s'enchevêtraient autant que ceux d'un écheveau.

Quinze minutes plus tard, Œdipe sirotait une limonade, installé sur une banquette capitonnée de similicuir aussi rouge qu'une fraîche tomate de septembre. Quelques clients disséminés ici et là dans le restaurant discutaient et mangeaient leur dernier repas de la journée, bercés par la finesse des notes de Gabriel Fauré. Il se serait cru à Paris. Devant lui, les joues rosées de plaisir, le sans-abri engloutissait un sandwich au thon et laitue, racontant, la bouche pleine, ses déboires en postillonnant partout. Œdipe l'écoutait, espérant qu'il ne traînait pas dans sa salive quelques maladies contagieuses. Malgré ses manières inciviles, sa simple présence lui donnait le sentiment d'une rupture avec son passé, d'un affranchissement de ses propres malheurs, d'hier et de demain; impression fugace, il le savait trop bien, qui se volatiliserait dès qu'il se retrouverait seul avec ses pensées.

Durant le monologue de son convive, Œdipe réalisa, à son vif étonnement, qu'il possédait une intelligence hors du commun. Diantre! D'où lui venait cette idée bourgeoise qu'un mendiant n'était qu'un être au regard vide, incapable de profondeur et de nuance? Certes, sa personnalité était franchement évaporée, mais son discours démontrait que ses connaissances ne provenaient pas seulement de la petite école, mais aussi des grandes: de la vie en premier et, ensuite, de l'université.

Le pauvre type avait connu une enfance malheureuse. Ses parents, des êtres violents, ne s'étaient pas gênés pour les battre, lui et son frère, en plus d'abuser de sa sœurette. À l'âge de quinze ans, dans un état physique et psychologique lamentable, il avait fui la maison familiale, erré sans but dans la rue, passant ses journées dans les centres commerciaux, mangeant les restes de nourriture laissés dans les poubelles et couchant à la belle étoile ou, par mauvais temps, dans les immeubles d'habitation. La liberté valait bien quelques petits détours dans les abîmes.

Un jour, une fissure s'ébaucha dans son malheur : une accalmie. Un marcheur, la pitié au bord du cœur, proposa de l'embaucher, lui, le mendiant, dans un restaurant pour nettoyer et tout ranger après le départ des commensaux. Au bout de trois années de travail acharné, le pécule amassé lui permit d'entreprendre des études et de se dénicher un emploi plus lucratif, à temps partiel, dans une compagnie d'électroniques. Il savoura ce bonheur tranquille pendant plusieurs années. Mais, la maudite malchance, paysage borné à la porte de son destin, voulut qu'une rencontre avec un marchand de drogues l'enclenche sur la voie de l'égarement : la consommation et la vente de substances illicites.

Le clochard ne nia pas sa part de responsabilité dans le choix d'embarquer ou non sur un tel navire qui, bien entendu, s'était dirigé la proue première vers l'échouement. De nature instinctive, il s'en était foutu des conséquences, pourvu que sa sécrétion de dopamine soit maintenue au niveau *plaisir*, l'éloignant du même coup de son sentiment endémique d'inutilité dans la vie. *Un gramme, s'il vous plaît ? Un p'tit rêve pour une âme désillusionnée ? Une montée vers le nirvana pour Orphée aux enfers ?*

Évidemment, ce qui devait arriver advint. Au bout de deux années d'usages abusifs, il se trouva démuni, dans la rue, comme si cette dernière ne lui avait jamais pardonné son départ et attendait vaillamment son retour. Il s'acoquina avec des escrocs mafieux pour assurer sa subsistance tant physique qu'hallucinogène. En Angleterre, il se promena d'une ville à l'autre, vendant sa camelote aux plus offrants et, à la fin de sa journée, s'injectait de l'héroïne dans le sang ou sniffait une ligne de cocaïne, s'autorisant même, à l'occasion, une deuxième dose. *Gelé jusqu'aux os!*

De ce temps révolu, il ne se souvenait ni de la longueur ni de la couleur des journées; seulement de leurs intensités gravées *ad vitam æternam* dans ses fibres sensorielles.

Puis, le mauvais sort s'approfondissant, trois épées vinrent à tour de rôle s'enfoncer dans son cœur: l'arrestation, la condamnation et la sanction pénale de quatre ans à écouler au centre pénitentiaire de Liverpool. Cette peine importante terrassa ses derniers espoirs de vivre un jour une vie normale.

Le contact avec la réalité fut des plus brutaux. L'étroitesse de sa cellule exacerba son sentiment de claustrophobie et délia son angoisse si longtemps occultée par les drogues et l'alcool. Des délires de nuit aux souffrances de jour, il manœuvra, seul, dans les tremblements, la peur et la confusion pour émerger, des mois plus tard, des vapeurs ténébreuses de la désintoxication.

Au terme de sa peine, quand il sortit de prison, la caresse du vent demeura étrangement la tendresse la plus agréable qu'il n'eut jamais ressentie; une délicatesse infinie. Ce qui aurait dû représenter le début de sa liberté, à travers la réanimation d'un vieux désir — couler une vie droite et paisible au sein de la société —, fut plutôt le commencement d'un autre cauchemar. Avant même de pouvoir démontrer ses capacités de réadaptation et de réinsertion sociale ainsi que professionnelle, les manques d'argent et de soutien le retournèrent directement dans la rue, la boisson et les ennuis au centuple.

Kevin, tel était son nom, déversa pendant une dernière demi-heure des bribes de son récit dans l'oreille compatissante d'Œdipe. Touché par ce vécu, à certains égards aussi misérable que le sien, il se demanda si lui et le sans-abri parviendraient un jour à enjamber la clôture entourant leur prison intérieure : bagne sombre érigé au croisement de la malchance et de l'indifférence humaine. Auraient-ils droit à une libération pour bonne conduite ou s'échapperaient-ils en escaladant leur mur de barbelés ? Pour sûr, un effacement de leur histoire, dans le grand livre de la vie, leur permettrait de s'aventurer sur une route aux perspectives plus joyeuses et optimistes. Nul doute que, par la suite, ils conserveraient le droit jaloux de tenir eux-mêmes la plume de leur destinée, ne laissant ce privilège à aucun tiers auteur.

« Une brioche à la cannelle ou un petit pain aux raisins secs, messieurs ? s'enquit la serveuse, s'avançant vers eux avec un sourire aux dents javellisées.

– Les deux, madame, et une grosse bière ambrée, la London Prid, lâcha le mendiant, sans vergogne ni conscience. C'est mon ami qui paye l'addition.

– Il ignore encore que la vaisselle l'attend dans la cuisine, maugréa Œdipe, du tac au tac, lui lançant un regard furibond.

– Votre attendrissement envers la pauvre créature que je suis semble avoir pris la poudre d'escampette, nargua-t-il, pendant que la serveuse s'éloignait vers une autre table, commande en main.

– Oui, en même temps que votre gentillesse et sensibilité de la dernière heure. J'ai l'irrépressible envie de vous tirer ma révérence, pas plus tard que maintenant, pour vous laisser moisir dans l'embarras.

– Savez-vous pourquoi vous n'abandonnerez pas la proie pour l'ombre ?

– Non, même si je ne vous considère pas comme une proie.

– Essayez un peu.

– Je ne suis pas d'humeur aux devinettes.

– Vous râlez toujours comme ça ?

– Seulement quand un paumé est incapable de distinguer la miséricorde que je lui tends de la corde avec laquelle il se pend. Ça me fout une migraine ophtalmique juste de penser que vous vous attachez à votre malheur sans tenter de vous en sortir. Je n'en vois plus clair.

– Peut-être que ça ne vous a pas encore claqué au visage que vous êtes davantage sur la corde raide que moi qui suis dans la rue, que vous y voyez moins clair que moi qui suis myope comme une taupe, ne pouvant me payer le luxe d'une paire de lunettes convenable, et que je m'en sors mieux que vous qui prêchez du haut de votre classe dominante, alors que vous n'êtes pas fichu d'échapper à votre propre misère... »

3

~~~

Lolita passait l'aspirateur sur le tapis persan, lorsque le téléphone retentit dans le salon. Elle se dirigea lentement vers l'appareil, un feu rhumatismal toujours incandescent dans sa hanche gauche. Elle décrocha le combiné. Un certain Œdipe désirait parler au psychanalyste. *Tiens, un illuminé!* pensa-t-elle. La femme de ménage prit le message et replaça le dispositif sur son socle. Sigmund, enfermé dans sa bibliothèque depuis l'aube, avait demandé à être dérangé strictement si le mercure extérieur montait à vingt-quatre degrés Celsius. Autant dire que seule une urgence le délogerait de son lieu de retraite. Depuis quelques jours, un pli soucieux marquait son front. Que pouvait-il mijoter dans cet endroit, qu'il occupait d'habitude seulement après la visite de son dernier client?

Lolita poussa un long soupir. Cet homme représentait la bonté incarnée. Habituée à l'insensibilité et au rejet des gens en raison de sa différence raciale, son regard de bienveillance l'avait convaincue d'accepter le poste de ménagère à sa résidence, offert après une entrevue en règle. Cet emploi lui permettait d'arrondir ses fins de mois et de se payer quelques cours en psychologie à l'université. Personne ne pouvait pressentir que derrière sa nature plutôt effacée se cachait une femme dont le désir de comprendre et d'aider l'humanité s'avérait fondamental et irrépressible. Malheureusement, les obstacles à l'accomplissement de son idéal de vie se dressaient parfois devant elle comme des parois en apparence infranchissables. L'envie lui venait couramment de tout balancer. *Allez tous vous faire foutre!* pensait-elle souvent, ce matin-là, plus que les autres.

Un huissier avait frappé à sa porte dès neuf heures, lui remettant d'un air cynique, comme s'il se vengeait lui-même d'une quelconque injustice personnelle, une mise en demeure de son propriétaire. Un évincement de son appartement surviendrait si elle ne procédait pas, dans les dix jours ouvrables, au paiement de ses deux loyers en retard. Vivant dans un pauvre logement d'un quartier minable londonien, elle espérait qu'un évènement extraordinaire la sortirait *in extremis* de sa misère. Son mari, un hâbleur sans vergogne, avait quitté le nid familial douze ans plus tôt, quelques mois après leur arrivée en Grande-Bretagne, pour tester sa virilité auprès de jeunes femmes libertines, croyant ainsi regagner et conserver une parcelle de sa jeunesse. Illusion! Sans égard pour ses deux enfants, il plia bagage les poches pleines de leurs économies dérobées dans leur compte conjoint, laissant le vide et la désolation derrière lui.

Fauchée, à peine cinquante livres sterling en poche, Lolita s'était retrouvée désemparée et inquiète pour leur survie. Elle avait épluché avec acharnement les petites annonces du journal afin de se dégoter un emploi de réceptionniste. Mais quel employeur aurait engagé une femme drapée des plis de la vieillesse, alors que la plupart des entreprises visaient l'avant-gardisme et le dynamisme? Entre une personne racée de vingt ans possédant les qualificatifs et une femme vieillissante de quarante ans possédant aussi les qualificatifs, les honneurs de l'employabilité revenaient toujours à celle possédant le front lisse.

Ces échecs répétitifs et laborieux ne freinèrent toutefois pas ses élans. Survivre s'avérait plus important que les portes qui se fermaient devant elle avec un bruit mettant au défi l'impossible. Combattante tenace face à l'adversité, elle vaincrait, même si elle devait passer le restant de sa vie à nettoyer les résidences. L'honneur et la dignité représentaient les assises fondamentales de sa liberté et tant pis si elles se construisaient à même l'injustice, l'incompréhension et la peur.

Ses enfants continueraient de recevoir une éducation de première classe malgré sa difficulté à joindre les deux bouts. Elle se priverait peut-être un peu, mais eux, ils ne souffriraient pas de l'absence de biens et de cadres nécessaires à leur épanouissement, elle s'en était fait la promesse. Éventuellement, cette adversité finirait par rendre l'âme et, de l'enfoncement dans la misère, sa vie grimperait en altitude jusqu'à atteindre le niveau confortable du bien-être. Hélas, les années qui suivirent furent terribles. Jamais elle n'abandonna le cap même si ses genoux fléchissaient souvent sous les coups du destin intraitable.

Dans ses rêves les plus audacieux, elle en terminait avec sa taie d'oreiller trempée de larmes après chaque nuit d'insomnie, sans oublier son rongement d'ongles systématique devant ses comptes non réglés. Fini, également, l'usage intempestif de la calculatrice sur laquelle s'agitaient avec frénésie ses doigts dans le but ultime de voir les chiffres s'additionner plutôt que se soustraire. *Terminado! Finitos! Échec et mat!* Désormais, la vie s'ouvrirait devant elle, remplie de chaleur, de soleil, de joie et de rires aux éclats.

Lolita soupira de nouveau. Parfois, les rêves avaient ça d'étrange: ils catapultaient une personne dans une autre réalité, à la frontière du crédible, à la lisière du probable. Mais, ils la laissaient toujours là, au bord, juste sur le bord, comme si certains possibles se targuaient de n'être vêtus que d'espérance sans l'obligation de l'accomplissement.

Aujourd'hui, elle pouvait dire qu'elle avait réussi sa mission première. Son garçon, le plus vieux, un beau jeune homme de vingt-quatre ans, ne vivait plus à la maison, s'étant enrôlé dans la Royal Air Force trois ans plus tôt. Il faisait maintenant partie de l'unité de base, autant des escadrons de chasse que ceux de bombardements. Quant à son fils cadet, Francesco, il venait d'être accepté à l'Université de Londres en philosophie, matière que bien des gens considéraient inutile sur le marché du travail, mais qui nourrissait amplement son intellect, son cœur et son âme. Il deviendrait professeur de philosophie. Tel était son choix réfléchi et délibéré, pour lui et non pour les autres.

Lolita regarda la mise en demeure. Devant cette nouvelle malchance, elle répugnait à demander au psychanalyste une avance de deux mois afin de payer ses comptes en souffrance. Lui ferait-il confiance? Sa récente absence pourrait l'inciter au doute quant à sa stabilité. Advenant un refus de sa part, elle aurait à se dénicher un deuxième emploi, ce qui mettrait en péril ses études. Quel bourbier! Une allergie totale à l'Assistance publique l'empêchait d'y avoir recours. Elle ne devait s'en prendre qu'à elle-même si cette situation avalait ses rares moments de quiétude.

Son erreur avait été de remettre toutes ses économies à un camarade qui lui avait promis une remise complète du montant le week-end suivant, avec une prime en surplus. Depuis, trois mois s'étaient écoulés sans un appel ni la moindre trace de celui considéré comme un copain. Elle aurait dû se conformer aux conseils du philosophe Chilon, recommandant d'agir avec un ami comme s'il devait devenir son pire ennemi. Cette pratique intelligente l'aurait prémunie contre cette arnaque, même si elle chassait du même coup l'élaboration d'une dynamique de confiance envers quiconque. De toute façon, à quoi servait la confiance si elle se trahissait avec une aisance aussi pernicieuse?

Mise en garde contre la tentation de placer tous les gens dans le même panier, Lolita rétorquait d'un air cynique: trop tard! Dans un sursaut d'autodéfense, elle avait rempli la corbeille à ras bord de toutes les personnes qui s'ornaient du masque de la gentillesse et dont la présence lui inspirait un peu trop la droiture. A-T-T-E-N-T-I-O-N! DANGER! Et ce qu'elle s'en foutait de passer pour une sauvage, une paranoïaque et quoi d'autre? Plus jamais elle ne paierait pour les imbéciles qui la fauchaient impudiquement en portant le manteau du bon samaritain. On ne la reprendrait plus à sous-estimer la distance si éloignée entre le cœur et la tête qui régnait chez les êtres humains.

Dès ce jour, elle distribua sa confiance au compte-gouttes, préférant être fidèle à elle-même plutôt qu'aux autres. Seuls ses magnifiques enfants pouvaient recevoir sa confiance sans l'ombre d'un épuisement, ni maintenant ni plus tard.

Au bord de l'apitoiement sur elle-même, Lolita sursauta lorsque la porte de la bibliothèque s'ouvrit, laissant passer un Sigmund cerné et préoccupé. Il se dirigea vers la cuisine d'un pas traînant.

Se ressaisissant, elle le suivit, déterminée à lui parler coûte que coûte malgré son humeur visiblement rembrunie.

« Un breuvage chaud vous remettrait d'aplomb, je pense », lança-t-elle d'une voix tendue.

Sigmund sourcilla. Habitué au bavardage pétulant de sa femme de ménage, une phrase si courte, sans l'élaboration complète de sa semaine, ne collait pas avec sa personnalité fougueuse. Il s'approcha du comptoir et releva le couvercle d'un boîtier de tisanes à saveurs variées, d'où émanaient des odeurs subtiles.

« Ça va? persévéra-t-elle.

– Oh! Excusez-moi. Je ne vous ai pas répondu. Je suis épuisé. Je me suis surmené ces derniers temps. Une boisson chaude me permettra de poursuivre certaines recherches en évitant de me décrocher la mâchoire à force de bâiller. Hum... Voyons... Qu'avons-nous ici ? Fleurs de camomille, tilleul, menthe givrée, citron, thé vert... Ah ! Voilà. J'opte pour le thé vert », s'exclama-t-il, comme s'il venait de dégoter un objet rare.

Il retira le sachet, le déposa sur le comptoir et ouvrit une porte d'armoire à la recherche de sa tasse chinoise en porcelaine lustrée, *Lan Leven*. En effet, *longue vie* en perspective s'il poursuivait sa démarche entreprise auprès d'un naturopathe. Depuis quelques semaines, sa vitalité flirtait avec le surmenage professionnel à la suite d'un stress prolongé. Une recherche importante sur les névroses traumatiques, effectuée au département de psychologie de l'Université de Londres, avait empiété sur ses plages de temps libres et ses heures cruciales de sommeil. De plus, il y avait cet Œdipe, qui lui donnait du fil à retordre depuis le début de sa thérapie. Sa détresse psychique était palpable. Son client parviendrait-il à s'éloigner de son investissement dans l'illusion, celle dans laquelle il se substituait au personnage de la tragédie de Sophocle ? Réussirait-il à s'enraciner dans le réel, dans le moment présent, même si ce dernier exsudait douleurs et déplaisirs des vestiges de son passé ?

« Laissez, je vous le prépare », annonça Lolita, attrapant la pochette.

Elle ajouta, nerveuse :

« Auriez-vous du temps à m'accorder ? »

Sigmund leva un sourcil et regarda sa domestique.

« Je vous écoute, dit-il, lui décochant un sourire engageant.

– Bien... »

Un silence ponctua ses paroles. Lolita invita le psychanalyste à s'asseoir à la table et sortit quelques biscuits secs qu'elle plaça dans une assiette, devant lui.

« Est-ce si difficile, Lolita ? la voyant tourner en rond.

– En fait, j'ai un grand service à vous demander, murmura-t-elle d'un ton hésitant.

– De quoi s'agit-il ?

– J'aurais besoin d'une avance substantielle pour payer mes loyers en retard.

– Pouvez-vous me préciser le montant ?

– Deux mois de salaire. »

Ébahi, Sigmund la considéra un instant avant de demander :

« Comment vivrez-vous durant cette période, sans argent ?

– Je... heu... je ne le sais pas. À vrai dire, je m'épuise depuis ce matin à chercher une solution à mes problèmes. Une avalanche de mauvais sorts s'est déversée sur ma vie et je suis incapable de m'en extirper seule. J'ai reçu la visite d'un huissier et... »

Incapable de terminer sa phrase, elle se tourna vers la théière en fonte brune qu'elle venait de poser sur le rond allumé de la cuisinière à gaz. Elle devait garder son sang-froid devant son employeur. Respirer. Profondément.

« Vous me semblez dans le pétrin, Lolita.

– Si le mot *pétrin* se rapproche du mot *crottin*, je le suis amplement », déclara-t-elle en se retournant, un pli amer au coin des lèvres.

Sigmund sourit.

« Content de constater que vous ne perdez pas votre sens de l'humour, malgré les circonstances. Écoutez, je comprends très bien votre situation et j'aurais une proposition que je qualifie d'intéressante à vous faire. Je n'attendais que l'occasion propice pour vous en faire part.

– Vous m'intriguez, je suis tout oreilles.

– Avec mes nombreux colloques qui s'annoncent durant la prochaine année, j'aurai besoin des services d'une personne à temps plein pour s'occuper du ménage de la maison et pour concocter des soupers à mes invités. Rien d'extravagant, soyez sans crainte. De plus, si vous pouvez libérer le contrat vous liant à votre propriétaire, je vous invite, vous et vos enfants, à habiter la maisonnette des visiteurs située dans le jardin arrière, moyennant une minime contribution monétaire de votre part. Elle est déjà prête à vous accueillir, il ne vous reste qu'à y poser vos valises. Malgré les apparences, l'intérieur est spacieux et chaleureux. La cuisine est fonctionnelle et complètement équipée. Par contre, il n'y a que deux chambres. Si vous le souhaitez, le salon pourra être réaménagé à votre guise. Quant à l'aspect pécuniaire pour vos services, vous serez rémunérée en conséquence et je paierai vos deux mois de loyer en attente. Cet accommodement trouve-t-il preneur chez vous? »

Lolita le regarda éberluée, le souffle coupé. Ses épaules se relâchèrent d'un coup.

« Où hébergerez-vous vos hôtes? ne put-elle s'empêcher de demander.

– Ne vous inquiétez pas. J'ai suffisamment de chambres chez moi pour les accueillir. Et puis, il y a aussi l'hôtel!

– Quel homme *extraordinario* vous êtes! Comment vous remercier?

– En acceptant?

– Vous ne pouvez imaginer à quel point votre offre tombe à point nommé. De plus, cette installation à proximité m'évitera les épuisants voyages, matin et soir, en tramway. Toutefois, vous allez devoir reconsidérer une partie de votre proposition. Je suis plutôt du type cordon-noir que bleu. Vous risquez, à l'occasion, de humer quelques odeurs de brûlé et de voir des cuisses de poulet roussies dans votre assiette. Mes perpétuels gâchis ne sauraient servir que l'impatience et le découragement chez vous, en plus de vous obliger à débourser d'autres sommes d'argent pour remplacer les denrées perdues… Hasardeux, non ?

– Que ça ? Entre vos erreurs épisodiques de température et mes constants désastres culinaires, il y a un univers. Je vous l'assure ! »

Lolita éclata d'un rire étrange, sonnant davantage comme un sanglot qu'un hymne de joie. Ses nombreuses épreuves lui avaient enseigné à retenir ses larmes malgré la pression parfois gigantesque qu'elles effectuaient sur ses digues construites lors d'adversités. En quelques minutes, cet homme lui avait présenté un nouvel horizon et son cœur, remué, aurait voulu s'épandre en pleurs. Elle se couvrit plutôt d'assurance et d'humour pour déclarer :

« Bon, d'accord ! Mais je vous aurai averti. À vos risques et périls.

– Entendu.

– J'en parlerai à Francesco ce soir, à son retour du collège. De plus, j'écrirai à Carlos, en mission à l'heure actuelle, afin qu'il m'expédie ses lettres à la bonne adresse. Nous serons deux personnes à habiter cette demeure. Heu… enfin… accepteriez-vous un gentil petit chien, Charley, un colley miniature qui jappe seulement lorsqu'un écureuil se mêle de gigoter son museau trop près de lui ?

– S'il ne ronge pas les pattes de chaises et qu'il s'accorde bien avec mon chat *Zigzaz*, grosse boule de poils en folie, ça ira. Vous l'avez sans doute remarqué, il sait se montrer très tapageur à ses heures.

– En effet. Une vraie furie, mais tout à fait mignon.

– Pour revenir à nos moutons plutôt qu'à nos animaux domestiques, quand aviserez-vous votre propriétaire?

– Dès demain matin, soyez sans crainte. Il trépignera de joie à la seule idée de me voir quitter son logis. Je placerai une annonce dans le journal afin de sous-louer mon appartement. Ah! Monsieur Dorland, vous êtes mon sauveur...

– Sauveur? Loin de moi ce mot! coupa-t-il rieur, ce qui atténua les traces de fatigue sur son visage, révélant aussitôt une frange de fines ridules au coin des yeux. Je suis plutôt sensible à votre condition, Lolita. Égoïstement, elle sert aussi la mienne. Allez! Ne vous faites plus de soucis. Je m'occupe de vous émettre un chèque et ce soir, vous quitterez la maison avec ce précieux billet en main.

– *Muchas gracias!* Je suis au septième ciel, s'écria-t-elle, s'obligeant à une révérence qui lui arracha un cri strident. Aïe! Ma hanche!

– Soyez prudente, pardieu! s'exclama Sigmund en l'aidant à se déplier. Vous devriez consulter un médecin pour cette douleur.

– Déjà fait. J'ai seulement omis de prendre mes anti-inflammatoires ce matin. Oh! Parlant de ce matin, j'allais oublier. Un dénommé Œdipe a téléphoné. Un ami de Sophocle, sans aucun doute, ajouta-t-elle d'un ton moqueur, sortant de sa poche un papier, sur lequel avait été griffonné un numéro de téléphone.

– Je m'en occupe, répondit le psychanalyste, sans attraper au vol sa pointe d'humour. Je vais maintenant me retirer, chère dame, le boulot m'appelle comme une sirène dans la nuit.

– Ou de la tire d'érable au fond d'un chaudron! Vos traits s'étirent de jour en jour depuis que vous collez à vos travaux.

– Vous avez dit *tire d'érable*, n'est-ce pas?» souligna Sigmund, d'un ton rieur.

Lolita s'esclaffa.

« Oui, oui. De la tire d'érable. Un petit séjour au Québec, juste avant mon arrivée à Londres, m'a permis de découvrir cette denrée d'une saveur si exquise que mes papilles gustatives salivent à cette seule évocation.

– Vraiment ?

– Absolument. J'ai même pu assister à une récolte dans une petite érablière familiale d'un patelin nommé Pierreville. C'est très instructif.

– Intéressant. Vous pouvez m'en dire plus ?

– Avec plaisir. Chaque année, au début du printemps, après un hiver de neige et de froidure, les acériculteurs entaillent leurs érables. Dans l'arbre, ils insèrent un chalumeau muni d'un crochet auquel ils suspendent un seau pour recueillir la sève. Quelle poésie de se promener dans une sucrerie par une journée ensoleillée, de relever le couvercle des contenants métalliques et de s'exclamer de joie quand ils sont remplis d'eau ! Une fois transportée dans des réservoirs jusqu'à la cabane à sucre, cette eau sucrée et limpide est déversée dans une cuve. Au-dessus d'un feu intense, mais contrôlé, l'eau est bouillie pour obtenir un sirop. Menoum ! Quand la cuisson se prolonge, il s'épaissit et se change en tire. Par contre, au-delà de cette norme, le sirop devenu plus consistant s'étire, se cristallise et brûle. Il *burnout*... Ha ! Ha ! Ha ! Attention, Dr Dorland, que le surmenage professionnel ne survienne en brûlant vos ailes sur le feu de l'ambition ! Parfois, pris dans un tourbillon d'activités, nous ne réalisons pas que nous avons atteint nos limites. Il me semble qu'un petit week-end ou même une semaine de repos vous ferait du bien.

– À ce point ?

– Absolument. Mieux vaut prendre des vacances avant d'arriver au stade d'épuisement, conclut-elle, empoignant la bouilloire et versant l'eau fumante dans la tasse.

– Bon, d'accord. J'abdique. Je vais condenser mon travail et partir ce week-end. Du ski dans les Alpes me dégourdira les jambes et aérera mes poumons.

– Et allègera votre matière grise...

– Oui, oui, s'esclaffa Sigmund. Vous avez raison.

– Je vous félicite, dit-elle, soulagée qu'un peu de bon sens effleure l'esprit fatigué de son patron.

– Je vous laisse, maintenant. Les vacances n'ont pas encore frappé à ma porte. »

Sigmund attrapa sa tasse de thé, salua Lolita et retourna dans la bibliothèque. Il aimait se retrouver dans cet environnement chaleureux et rassurant. Dès le moment où il saisissait un livre dans ses mains, s'assoyait et en tournait une à une les pages sous le halo de sa lampe de lecture, des mémoires d'un temps révolu venaient se greffer à son présent. Il respirait profondément dans cette atmosphère nostalgique, en symbiose avec le passé, qui éveillait en lui une joie paisible et secrète.

Sigmund se souvint de cette époque où il passait des heures dans la bibliothèque de ses parents, à fouiller dans les livres portant sur l'étude des comportements humains, l'un étant psychiatre et l'autre psychologue. Les ouvrages de nature psychologique et psychanalytique, depuis qu'il était en âge de les lire, lui avaient apporté une vision plus perspicace et sensible de la vie. Les bouquins l'avaient mis au monde. Il cautionnait entièrement ces mots de Marguerite Yourcenar, tirés de son ouvage *Mémoires d'Hadrien*: « Le véritable lieu de naissance est celui où l'on a porté pour la première fois un coup d'œil intelligent sur soi-même: mes premières patries ont été les livres. »

Le psychanalyste s'installa sur son sofa de cuir, recouvert d'une couverture en lainage qu'il rabattait sur lui quand il frissonnait de froid ou quand l'émotion le gagnait à la lecture de certains passages. Par-delà la fenêtre, les hautes branches d'un sycomore ployaient légèrement sous l'accumulation de la neige.

Sigmund regarda autour de lui. Les rayonnages de boiseries antiques paraient les quatre pans de mur et accueillaient plus de cinq mille ouvrages. Au centre de la pièce, sur un tapis de Qom aux motifs pourpre et blanc, une large table de travail du XVIIe siècle, en chêne rouvre et aux pieds tournés, lui permettait d'étaler ses recherches et d'écrire ses articles scientifiques à son aise. Le silence et la quiétude du lieu se prêtaient largement à son boulot de chercheur.

À sa gauche, un petit meuble rond, enjolivé d'une nappe aux ornements sobres, supportait quelques bouquins savants, ainsi que son téléphone Ericsson, cadeau de mariage de son ex-épouse. Peut-être fallait-il y déceler un lien subtil avec leur manque flagrant de communication ayant occupé les sept années de leur vie conjugale.

Près de l'âtre, une bonnetière en bois de merisier abritait des brimborions d'une valeur marchande insignifiante, mais capitale sur le plan sentimental, puisqu'ils lui avaient été offerts à chacun de ses anniversaires par sa fille adorée, Sarah. Non loin trônait la psyché en acajou, un grand miroir inclinable monté sur un châssis à pivots et rehaussé de filaments de cuivre. Il portait bien son nom. Pour le psychanalyste qu'il était, ce miroir, loin de réfléchir seulement sa propre image, le renvoyait à des interrogations sur sa perception de lui-même. Que discernait-il précisément dans ce reflet ? Ce qu'il voulait voir ou ce qui n'existait pas ? Une représentation dévalorisante ou gratifiante ? Un mirage ou la réalité ?

Sigmund songea soudain à Œdipe. Enfant, avait-il réussi à s'identifier à sa projection dans le miroir et à l'intégrer en totalité ? Par quel modèle s'était-il construit en l'absence de personnes représentatives et chaleureuses autour de lui, si tel était le cas ? Nécessairement, il avait dû faire face à une perte majeure pour décliner son identité au profit d'une autre, celle fictive d'Œdipe. En tant que psychanalyste, s'il endossait le moindrement son illusion, il contribuerait à le maintenir dans l'irréalité et engendrerait des distorsions encore plus grandes de sa pensée, sans compter de profondes discontinuités comportementales. Son mal, loin d'être plus tolérable, finirait par être invivable. Il ne souhaitait pas que son client se dirige vers un retournement destructeur plus concret que celui qu'il vivait actuellement.

Le médecin saisit le récepteur et composa le numéro de téléphone d'Œdipe, qui répondit à la première sonnerie.

« Oui.

– Docteur Dorland à l'appareil.

– Je croyais que nous avions convenu de vous appeler Sigmund !

– Vrai ! Où ai-je la tête ? Je me reprends. Sigmund à l'appareil.

– J'aimerais annuler notre rencontre de demain soir.

– Quelle est la raison motivant votre décision ?

– En fait, je ne veux plus poursuivre la thérapie.

– Mais encore ? Pourquoi ce choix soudain et radical ?

– Je... commença Œdipe, frémissant. J'ai des visions cauchemardesques qui n'en finissent plus de me bouleverser intérieurement. Elles ont commencé peu de temps avant d'entreprendre ma psychanalyse et, depuis, elles ne cessent de revenir à un rythme accéléré. J'éprouve aussi la crainte d'être incompris par vous, de ne pouvoir mener à terme l'entreprise que je me suis fixée et, surtout, je redoute votre réaction au moment de saisir ma véritable identité. De toute façon, vous m'abandonneriez sans doute en cours de route comme une vieille chaussette dans une cour d'école. Là... j'ai vraiment besoin d'air. »

Il respira profondément.

« Ça ne va pas. Je vis dans la tourmente. Une cure psychanalytique demeure profondément égocentrique. Je suis constam-
ment absorbé et concerné par moi-même. Depuis quelques
semaines, je n'ai jamais été aussi conscient de mes faits, gestes et
pensées. J'ai l'impression de ne vivre qu'en fonction de moi et de
la thérapie. C'est terrible comme sentiment. Je me sens comme
une ombre de moi-même ; l'ombre d'une âme en détresse. Pourquoi persistez-vous à travailler avec une ombre ?

– D'abord, revenons un peu à vos premiers arguments,
Œdipe. Vous anticipez ma réaction de rejet sans me laisser le
libre choix de l'actualiser ou non. Je n'ai aucunement l'intention
de vous abandonner, chemin faisant, comme vous le mentionnez.
Quant à vos visions, je crois qu'elles se présentent à la porte de
votre conscience pour déverrouiller de vieilles situations non
résolues de l'enfance, pour émietter quelques-unes de vos défenses et vous amener au cœur de votre souffrance afin d'en alléger
le fardeau. À mon avis, elles sont très importantes et s'inscrivent
dans le processsus thérapeutique que vous vivez. Une cure psychanalytique ne se vit pas seulement entre les quatre murs de
mon bureau, même si la démarche est plus intensive dans ce lieu.
Elle s'étend dans votre quotidien, vos activités, votre travail et
vos relations. Pourquoi ne pas venir me rencontrer, tel qu'il a été
convenu ? Vous pourriez exprimer plus à fond votre malaise et
me parler de ce sentiment, que vous éprouvez, de n'être qu'une
ombre.

– Et pour boucler quelques boucles incomplètes ?

– Œdipe, le tracé de votre parcours thérapeutique est à peine
ébauché. Il n'a même pas entrepris sa lancée vers sa courbe de
croissance. Des années de blessures et de souffrances, peu
importe leur profondeur, ne peuvent être exprimées, saisies,
transformées et bouclées en quelques rencontres seulement.

– Je comprends, mais la peur me paralyse. Je n'y arriverai
jamais. J'ai déjà vécu une thérapie brève, il y a quelques années,

croyant naïvement qu'en comprenant le *pourquoi* de mes déboires, ceux-ci s'évanouiraient pour ne plus revenir. Cinq sessions plus tard — j'admets l'avoir abandonné en cours de route, pour des raisons personnelles —, non seulement rien n'avait changé en moi, mais ma vie allait de mal en pis. Le malheur envahissait mon quotidien et mon ciel refusait de se teinter de couleurs joyeuses. Il demeurait toujours aussi ombreux et triste que certains jours d'automne. Hier, durant une période de cafard, j'ai craint d'en arriver au même constat en ce qui a trait à ma psychanalyse, soit de ne pouvoir transformer suffisamment ma vie pour me lever, un bon matin, en me disant que, malgré les petits travers inévitables de l'existence, je suis désormais libre et heureux.

— Œdipe, vous comprendrez que nous ne pouvons discourir sur ce qui aurait pu arriver si vous aviez poursuivi la thérapie avec le psychologue consulté précédemment. Cependant, afin de mieux appréhender votre psychanalyse présente, laissez-moi, d'abord, vous amener dans un lieu particulier : votre cuisine.

— Ma cuisine ! s'exclama Œdipe, surpris.

— En effet.

— Pourquoi donc ?

— Je vais vous répondre par une autre question : vous arrive-t-il d'en faire le grand ménage, au printemps, par exemple ?

— Oui.

— Avez-vous remarqué un phénomène étrange ?

— C'est-à-dire ?

— Lorsque vous commencez ce nettoyage, vous sortez tout ce qu'il y a dans vos placards. Votre pièce, bien rangée, disparaît tout à coup sous l'amoncellement de vaisselles, de produits et d'objets de toutes sortes. Un véritable capharnaüm. Le désordre prédomine et souvent le découragement accompagne ce fatras.

Pourtant, vous aviez entrepris le ménage, non pas d'encombrer davantage votre cuisine. Une thérapie à long terme entraîne un fatras interne similaire, une désorganisation qui se répercute dans votre vie. Dès qu'une personne commence le déblaiement de sa psyché, se pointe nécessairement une période inconfortable durant laquelle les débris s'amoncellent à la surface. Tout semble se perturber et se déstructurer. En poursuivant son astiquage, elle met à jour le ou les nœuds de son existence. Certes, ce travail s'effectue souvent dans le chaos, mais aussi, avec une lumière grandissante en elle. Peu à peu, malgré le foutoir émotionnel, les sempiternelles voltiges d'humeur et quelques descentes vertigineuses au fond d'elle-même, cette personne parvient à assainir l'antre mystérieux de sa vie intérieure...

— Assainir au complet ? interrompit Œdipe.

— Impossible, sur le plan humain, de tout nettoyer. Il existera toujours des zones d'ombre en une personne. L'important est qu'elle parvienne à libérer ce qui fait majoritairement obstacle à une vie plus épanouie. Car, tant qu'un symptôme paralysant n'a pas été mis à jour, qu'il n'a pas étalé la douleur qui l'anime, il continuera d'exister dans son être, dominant ses actions dans l'obscurité et empêchant l'émergence d'une meilleure disposition intérieure pour affronter les défis. La psychanalyse permet la rencontre avec les parties blessées en nous et les conflits que nous n'avons pas su dénouer. Cela dit, vous conservez et conserverez toujours le choix primordial et légitime de poursuivre ou d'interrompre la thérapie. Il existe une multitude d'autres moyens pour vous libérer de vos souffrances. La vie n'abandonne jamais la vie... »

En disant ces derniers mots, Sigmund ressentit un pincement douloureux au cœur. Un souvenir tenta de refaire surface, mais il le congédia avec force.

Un silence s'installa à l'autre bout du fil. Œdipe déclara finalement :

« D'accord! J'abdique. Vos propos font sens. Qui d'autres que vous, en ce moment, pourrait m'aider à traverser mon désert?

– Je vous attendrai donc à vingt heures, comme d'habitude.

– Entendu. J'y serai. »

Les deux raccrochèrent en même temps.

Sigmund poussa un soupir. Tout comme Œdipe, il avait connu l'angoisse liée à la thérapie, surtout les premières années de sa propre psychanalyse. Combien de fois avait-il projeté ses peurs à l'extérieur de lui, sur ses amis, ses proches et le psychanalyste lui-même, tentant vainement de contrôler les ravages internes causés par l'intensité de ses émotions et l'émergence de ses souvenirs? Combien de fois avait-il mis un terme à la cure, pour y revenir, la semaine suivante, le cœur en pièces d'avoir abandonné le bateau au moment crucial d'aborder des rives importantes de son enfance? Comme s'il lui fallait effectuer un détour sans fin pour mieux jauger l'approche, l'exécuter avec le moins de heurts possible et enfin mouiller l'ancre.

La gorge de Sigmund se serra de nouveau. Des images cherchaient à s'imposer... Certes, son analyse lui avait permis de retrouver une grande partie de lui-même, mais jamais il n'avait osé parler de l'incident majeur survenu durant son adolescence.

Le médecin regarda par la fenêtre. Elle donnait sur son magnifique jardin. Même durant la saison froide, habillé d'une couverture de neige, il conservait toute sa splendeur. Par beau temps, les rayons du soleil glissaient sur cette étendue soyeuse pour en faire éclater les cristaux tandis que les arbuscules, sous l'amoncellement de la féerie blanche, offraient des silhouettes fantomatiques évoquant de joyeux souvenirs d'Halloween.

Le psychanalyste se cala plus profondément dans son sofa afin de réfléchir aux propos d'Œdipe ainsi qu'à ses différentes lectures effectuées au cours des derniers jours : *Antigone*, *Œdipe-Roi* et *Œdipe à Colone*. En relisant pour la énième fois ces tragédies grecques de Sophocle, il espérait trouver l'indice qui le mènerait à mieux saisir le comportement de son patient. Car le personnage qu'il choisissait d'habiter ne relevait certainement pas du hasard et leurs multiples rencontres lui avaient démontré qu'il ne jouait pas la comédie. Œdipe croyait fermement représenter ce personnage de Sophocle qu'il n'était pas.

Cet autre idéalisé, cet Œdipe fictif de la littérature grecque, qu'apportait-il à son patient pour qu'il s'y accroche avec une telle virulence ? Quel évènement de son histoire avait déclenché une perturbation si grande dans sa psyché ?

Sigmund se replongea dans sa lecture jusqu'au moment où le crépuscule tourna indigo dans le ciel. La lumière du jour avait été remplacée par celle soyeuse des réverbères étendant leur pudeur sur le sol enneigé. Il n'avait ni dîner ni souper et son estomac réclamait son dû en émettant de longs borborygmes.

Le psychanalyste se laissa porter par la langueur qui engourdissait peu à peu ses membres et s'endormit.

La scène tapissait l'entièreté de son écran intérieur, condensant en une seule image et en quelques mots une énigme dont il n'avait toujours pas trouvé la solution. Un vieil homme le regardait avec une douceur infinie. D'un ton franc et amical, il répétait : « Retourne aux origines, retourne aux origines... »

4

La lumière d'un réverbère glissait entre les lamelles des stores horizontaux, dessinant des rayures sur le tapis beige du bureau de consultation. Œdipe, étendu sur le divan analytique, regardait le plafond, incapable d'émettre un seul mot. La proximité du silencieux psychanalyste, loin de représenter une invitation à libérer son être, l'incitait au repli sur lui-même, le rendant impuissant à pénétrer les couches profondes de sa psyché.

Comment vais-je déterrer les monstres de mon passé si votre silence fait figure d'adversité, s'il est une promesse de tempête et de naufrage plutôt que de libération et d'affranchissement ? pensa Œdipe. *Le silence ?* Niet ! *Il n'existe qu'au centre d'une tornade ! Qui choisirait sciemment de s'aventurer en son cœur sachant que, tôt ou tard, les vents orageux viendraient toucher et même ébranler le plus solide des chênes ?*

Sur le fond de tranquillité et de silence offert par Sigmund, Œdipe laissa son esprit se meubler de pensées légères, évitant d'approcher une zone dangereuse en lui, pourtant la raison première d'entreprendre sa psychanalyse. En dépit de ses nombreuses peurs présentes — échos de lointaines douleurs —, il s'accrochait à ses résistances comme si elles détenaient le pouvoir de lui faire éviter le chavirement qu'il anticipait. Que lui arrivait-il? Devenait-il une mauviette à l'approche d'un brisant? Craignait-il que personne ne vienne déséchouer son navire sur les côtes arides de sa destinée? Et ce fameux naufrage pressenti ne s'avérait-il qu'une invention, qu'un paravent, qu'un écran protecteur pour ne pas plonger dans les eaux de ses craintes et affronter les vagues tempétueuses provenant d'un lieu déconsidéré en lui?

Œdipe se refusait de partir pour éviter le malaise qu'engendrait le silence instauré dans le cabinet de Sigmund. Malgré tout, la porte de sortie l'attirait comme un aimant. Dans un fantasme ultime, il aurait donné cher pour la claquer si fort que les murs remplis des confidences de ses patients se seraient écroulés sous l'effet d'une pulvérisation subite et transformés en un nuage de poussières volantes. La suffocation menaçait de toute manière ses voies respiratoires. Il n'en était pas à une particule de plus ou de moins dans ses bronches: poussières de douleur, de honte, d'humiliation, de déshonneur, — poussières qu'il souhaitait disperser au vent de l'oubli ou voir aspirées dans le bec d'un aspirateur central, puissance cent soixante-dix.

Œdipe détestait les murs. Ils l'oppressaient. Certains diraient «claustrophobie», lui disait «utérus». Étouffement dans les deux cas, mais l'un plus primitif, plus originel. Non désiré, il avait nagé dans un liquide amniotique glauque bourré des pensées de rejet de ses géniteurs. Coincé dans un univers où les seules éventualités s'avéraient funestes: la mort intra-utérine ou extra-utérine, il naquit finalement dans l'environnement hostile de son père et de sa mère. S'agissait-il d'un «pile ou face» bébête du hasard? D'un instinct profond de survie malgré l'adversité? D'un destin inéluctable? D'un fœtus incapable d'envisager une autre alternative que celle de suivre le courant, sa cognition ne constituant qu'une semence invisible en attente de développement?

Quoi qu'il en fût, une impulsion de vie l'avait incité à prendre le côté face et à faire face. Et il était toujours là, vivant, dans le sens de respirer. Car, pour lui, qu'était-ce vivre lorsqu'une personne passait son existence à dénouer les ficelles de sa petite enfance ? Quand chacune de ses inspirations déchirait plus profondément ses espoirs d'être un jour heureux — un devin lui ayant prédit un avenir misérable ? Quand les peurs et les doutes renforçaient son système de défense et enracinaient en lui la peur du lendemain ?

Œdipe poussa un long soupir. Ses parents, jugeant insuffisant d'avoir enserré symboliquement son cou avec le cordon ombilical de leur mépris, avaient lié ses pieds avec un autre cordon, celui de la haine, entravant ainsi ses premiers mouvements de vie. Aujourd'hui encore, il en payait le prix exorbitant.

« Êtes-vous toujours là ? demanda-t-il à Sigmund.

— Oui.

— Votre langue n'est pas très déliée. S'il vous plaît, parlez-moi. Je dois progresser et votre aide s'avère primordiale. Mes wagons, chargés autant de mauvais que de bons souvenirs, sont remplis à ras bord et leurs contenus demandent à être livrés au bon débarcadère, euh... délivrés devrais-je plutôt dire. Je dois séparer le bon grain de l'ivraie, autrement, la mauvaise herbe continuera d'étouffer ce que je porte de meilleur en moi, si une telle idée du *meilleur en moi* existe. Puis, il y a ces autres trains, ceux des générations précédentes. Leurs compartiments sont aussi pleins que les miens et beaucoup de leurs cargaisons débordent sur ma vie. En ce moment, je ne suis chez moi nulle part et rien ne m'appartient. Sigmund, je suis bloqué. Coincé.

— Pouvez-vous préciser votre pensée ? »

Œdipe tressaillit. Préciser ? Non. Il ne le pouvait pas. La voie était bloquée ! Une grosse roche avait roulé d'une colline jusque sur les rails de sa vie, prenant une hypothèque sur le lieu. Un

éclair avait brûlé, tordu le chemin de fer qui ressemblait maintenant à une montagne russe ratatinée. Une tempête s'était abattue,
laissant cinquante pieds de neige transformés en un bloc monoli-
thique blanc directement sur la voie ferrée, après qu'un froid
sibérien de moins soixante degrés Celsius eut atteint la région.
Voilà! Il ne pouvait plus bouger. Une impuissance glaciale, une
mort intérieure le contraignait à faire du surplace. Le train
demeurait en gare.

« Je... je suis piégé, coincé.

– ...

– Parlez-moi, s'il vous plaît.

– ...

– Est-ce si difficile d'émettre un son? demanda Œdipe
frustré.

– ...

– Un tout petit mot.

– Qu'est-ce que vous aimeriez que je vous dise?

– N'importe quoi, pourvu que ce silence ne soit plus silencieux.

– Pourquoi aimeriez-vous que ce silence ne soit plus
silencieux?

– Parce qu'il me coince.

– Coince?

– En effet. Le silence me coince. Il m'emprisonne en moi-
même. Pour être plus précis, il me place devant ce fichu miroir
qui me renvoie les horreurs d'un temps révolu. Les stigmates
sont visibles sur ma peau, mais personne ne peut voir celles plus
indélébiles laissées en moi. Elles sont les marques, les emprein-
tes, les indices que je dois suivre pour dénouer ma vie. Je vou-

drais entreprendre une quête plus serrée, ciblée, cependant j'ai peur qu'elle me conduise à ma perte. J'ai peut-être l'air d'un puissant guerrier, mais sous mon apparence fière et tumultueuse se cache la frayeur du gamin abandonné sur le quai de la dernière gare. Je tremble à l'idée de rencontrer les routes obscures de mon passé..., une en particulier. Cela dit, je ne délaisserai pas mon voyage, mon périple vers mon but. »

Œdipe cessa de parler. Il lui arrivait, à l'occasion, de retenir ses paroles, de renoncer à les exposer afin qu'elles ne deviennent pas prisonnières de l'interprétation d'un autre et, plus certainement encore, pour éviter qu'elles percutent le mur de silence du psychanalyste et reviennent, tel un boomerang, atteindre de plein fouet sa conscience. Les mots énoncés ne pouvaient pas être ravalés après leur émission. De plus, ils révélaient un peu trop clairement ce que son silence désirait taire. Par moments, mieux valait fermer les écoutilles, se barricader en soi, calfeutrer les entrées et les issues possibles et attendre le temps idéal — le sien — pour sortir et s'exprimer de nouveau.

De toute façon, pour lui, entre le vide et le taire, il existait un monde ; le vide présentait le silence et le taire exigeait le silence. Et ce dernier, jamais vraiment muet, laissait toujours deviner les infimes bourdonnements des non-dits que le corps transmettait malgré lui, dans ses mouvements involontaires. Œdipe savait très bien que seule une intervention ciblée du psychanalyste pourrait l'aider à entrer là où le mutisme prévalait, là où ses peurs se ter-raient et là où ses désirs dormaient de n'avoir pu s'éveiller à leur pleine expression. Pour l'heure, il ne se sentait guère prêt à des divulgations aux retombées inévitables.

Soudain, il souhaita l'existence d'un entre-deux, d'un avocat du blessé psychique, d'un médiateur intérieur tapi au plus pro-fond de lui-même, capable de prendre la relève lorsque des résis-tances faisaient obstacle à son besoin viscéral d'avancement. « Où est-il ce foutu d'avocaillon ? » bougonna-t-il intérieurement. « Dans quel bureau sirote-t-il son café imbuvable, les pieds sur la table, les yeux perdus dans une peinture à l'huile, probablement *Le philosophe en méditation*? »

« Je pense à Rembrandt, annonça-t-il subitement à Sigmund.

– ...

– Vous connaissez sa toile *Le philosophe en méditation*?

– Oui.

– Sur le mur, derrière le philosophe, il y a une petite porte auréolée en forme de demi-lune, qui n'a d'effronterie que la lumière blanche qu'elle conserve en son sein, à l'abri des regards indiscrets. Voilà pourquoi deux traverses de bois horizontales indiquent symboliquement un accès limité ou interdit à ce lieu mystérieux et la poignée n'existe que dans l'imagination. Personne ne peut la voir.

– ...

– Savez-vous quoi? demanda Œdipe.

– Non.

– Oui, non... votre vocabulaire gagnerait à être enrichi, ma foi! »

Sigmund éclata de rire. Un sacré personnage que cet Œdipe! Que d'originalité dans sa fantaisie! Si Sophocle avait écrit *Œdipe*, cet Œdipe, dans son bureau, aurait tout intérêt à écrire cet autre en lui. D'ailleurs, n'était-ce pas ce qu'il accomplissait, là, en dépeignant son inconscient à partir d'une toile créée par un autre inconscient? En extériorisant ses fantasmes, peut-être parviendra-t-il à reprendre possession de la personne qu'il était vraiment.

« Mon vocabulaire sait demeurer discret quand il le faut, ne vous inquiétez pas, répondit le psychanalyste. Et il sait également s'activer au moment opportun. Allez, je vous écoute.

SOURCE: REMBRANDT (Harmensz van RIJN). *Le philosophe en méditation,* collection
The Bridgeman Art Library. Getty Images.

– Discret, dites-vous? On parle d'un minimum vital ici!
Bon, je poursuis. Où en étais-je? Ah oui! J'allais vous mentionner que, derrière cette petite porte, j'imaginais non pas un cellier
où les vins se bonifient au rythme des saisons, mais un passage
vers un lieu secret, lumineux. De jour comme de nuit, le philosophe demeure le gardien de cet antre sacré. Jamais de repos
pour l'homme sage, illuminé aussi bien de l'extérieur que de
l'intérieur.

– ...

– Seul celui qui osera monter les escaliers vers la noirceur,
afin de braver ses peurs dans le grenier habité de rats et d'arai-
gnées, pourra ensuite accéder à cet endroit mystérieux, à hauteur

de vie, à hauteur des premiers balbutiements, là où tout se met en mouvement, là où tout se crée et se recrée.

– ...

– En ouvrant la fameuse porte en demi-lune, un escalier étroit descend vers une pièce beaucoup plus grande et profonde que l'aspect le laisse suggérer. Il s'agit d'un atelier. J'y vois un alchimiste qui, après des années d'acharnement, a mis un terme à sa fabrication de la pierre philosophale. Il ne se préoccupe plus tant de cette joyeuse garnotte que de ses pouvoirs personnels et surnaturels ayant la capacité de détruire les destins préétablis et d'en fomenter d'autres à la lumière des désirs humains. Dans cet utérus de bord, il devient fécond et conçoit la plus belle destinée pour chacun des hommes de la terre. D'ailleurs, nanti de sa découverte, je l'entends presque crier sur tous les toits :

« *Mesdames et messieurs, venez écouter la bonne nouvelle. Je change votre destin de métal lourd en un d'or léger. Plus besoin de vous rouler en boule pour vagir et vous tordre dans vos misères pendant des années, j'ai la solution à votre névrose d'existence, à votre soif de changement. Traversez d'abord l'épreuve principale de votre vie et vous aurez ensuite votre passeport pour une transformation alchimique complète. Une transformation ? Que dis-je... Une transfiguration ! Un nouveau destin garanti !* »

Illusion de contrôle et pensée magique d'un absolu à grincer des dents, songea Sigmund. Son client comprendra-t-il un jour que, la plupart du temps, ce genre de procédé magique ne conduit nulle part sinon à davantage d'illusions et, subséquemment, à des désillusions ? *Inquiétante étrangeté* que cette attirance éprouvée envers l'hermétisme et la pensée toute puissante ! Toutefois, le monde symbolique d'Œdipe foisonnait d'informations à visiter et revisiter. Sa capacité de projeter ses propres couleurs et images sur la toile de Rembrandt était impressionnante. Quelles précieuses données il mettait à sa disposition pour creuser en profondeur les éléments qui échappaient à sa conscience spontanée, rationnelle et logique! S'en doutait-il? Saurait-il, éventuellement, agrandir sa zone de sécurité et établir une démarcation entre l'imaginaire et le réel, entre le rêve et le symptôme, entre le vide et la représentation, entre la mort et la vie?

« Je divague, n'est-ce pas?

– ...

– Vous incarnez le philosophe de la peinture, lança Œdipe, spontanément.

– Moi, fit Sigmund, étonné.

– Oui. Un philosophe-psychanalyste plongé dans de profondes réflexions ou bien à l'écoute de mes dires. Et lorsque vous osez articuler quelques paroles, quand votre langue finit par émettre davantage qu'une syllabe — ma foi, un miracle! —, elles sont si justes et percutantes qu'elles me permettent d'y voir plus clair dans mon univers intérieur désordonné. Je prends une direction spécifique, moins échevelée. »

Œdipe cessa de parler un bon moment avant de mentionner d'une voix blanche, méconnaissable:

« Ni le philosophe ni la personne qui attise les braises ne me regardent. Le premier dort, réfléchit, me prête une oreille attentive ou regarde tout simplement dans le vague tandis que l'autre me tourne le dos.

– Vous vous représentez dans cette toile? s'enquit Sigmund.

– Oui.

– À quel endroit êtes-vous situé?

– Je suis assis sur la première marche, le dos tourné à l'escalier. Invisible aux yeux de quiconque!

– Invisible?

– Oui. Pensez à la toile de Rembrandt. M'y voyez-vous ? »

Que pouvait-il répondre à cette évidence ? Il ne tomberait sûrement pas dans ce piège facile. Par contre, ce genre d'affirmation pouvait conduire à des compréhensions de sa dynamique intérieure. Il ne mentionnait guère ce truisme inutilement.

« Que faites-vous sur la première marche ? demanda Sigmund sans broncher.

– Je regarde mes pieds. »

Le psychanalyste se rappela le boitillement de son client. Peut-être lui en dévoilerait-il la cause aujourd'hui.

« Je ne sais pas pourquoi je les regarde. En soi, ils n'ont aucune valeur. Je suis lié. Je ne peux pas avancer. Je vous l'ai déjà dit, je suis coincé. Nous revenons à la case départ. Le début. La genèse... »

Un silence lourd accueillit ses simples mots.

Œdipe entra de nouveau en lui, comme il savait si bien le faire, et pensa à la petite porte... *à hauteur de vie, à hauteur des premiers balbutiements, là où tout se met en mouvement.* Elle était fermée, cette porte. Rien ne pouvait naître d'une voie obstruée. Rien ne pouvait être transformé, transfiguré, bien qu'il ait prétendu le contraire un peu plus tôt.

Une peur terrible lui pointa la sortie. Il se retint de fuir, imaginant du béton dans ses chaussures. Au bout d'un long moment, il poursuivit sa lancée sur une autre piste, évitant d'aborder le sujet de « la porte ».

« Les marches derrière moi sont les wagons que je traîne, les miens et ceux des générations précédentes. Je suis fatigué de ces souffrances qui alourdissent ma vie et que je déverse sur la postérité. Si j'osais me retourner pour les regarder, peut-être que le courage serait mon allié et m'inciterait à monter la première marche. Un si petit geste et, pourtant, une grande incapacité à l'accomplir. Et puis... il y a du sang dans l'escalier...

– Du sang ?

– Je ne veux pas aller plus loin...

– D'accord. »

Les minutes s'étirèrent dans le silence avant qu'Œdipe ne s'exprime de nouveau.

« Je vais vous parler d'un autre sujet. Dans la rue, l'autre soir, j'ai rencontré un clochard. Un crétin doué de raison. Imaginez, quelques secondes, un mélange grossier d'imbécillité et d'intelligence et vous aurez un portrait du personnage.

– ...

– N'y a-t-il rien de plus incongru et de frustrant, pour développer une discussion sensée et sensible, que la nigauderie jumelée à de l'alcool ? Pourtant, cet homme, sous ses guenilles qui empestaient le moisi et l'eau-de-vie, tout à fait mortel et vomitif, croyez-moi sur parole, possédait une sensibilité qui m'a profondément touché. Elle s'enrobait de cynisme, tout en étant pétrie de compassion... une compassion retenue, comme s'il ne désirait pas que sa bonté transperce la dureté de sa carapace.

– ...

– Bon, j'admets que cet individu nébuleux m'agaçait, mais j'ai pensé, peut-être à tort, que ses parents avaient dû le larguer en cours de route pour qu'il en soit rendu à un tel niveau d'indigence. Alors, figurez-vous la mienne, mon indigence, quand, à un moment précis de la rencontre, j'ai réalisé que nous étions deux frères d'abandon, deux personnes à la recherche de quelque chose. Lui, l'alcool et moi, le sens de la vie ; deux prospecteurs d'amour.

– ...

– Pour ma part, cet amour, même s'il était trouvé, saurait-il se rendre à moi pour me toucher et m'atteindre? À qui serait-il véritablement donné?

– ...

– Entendez-moi. Je ne suis personne. L'amour ne peut se donner, se transmettre à personne. Et lorsque j'existe, ce n'est qu'aux yeux de ceux qui savent me lire, mais qu'entre les lignes. Jamais sur toute la ligne. Ma profondeur n'est accessible qu'à certains bons lecteurs qui perçoivent au-delà du linéaire.

– ...

– Comment, dans ces conditions, puis-je être aimé? Je ne pourrai jamais être rien de plus qu'un être inventé de toutes pièces par un auteur inconnu, écrit, asservi et violenté autant à l'intérieur qu'à l'extérieur de moi. On ne m'a jamais offert de vie propre, réelle, c'est-à-dire celle qui me revenait de plein droit. Dès le début, on a scellé mon sort par des mots. Des mots terribles...

– ...

– Je voudrais enfin devenir une personne, celle que j'aurais dû être depuis longtemps. Je ne veux plus céder ma place à un étranger en moi, m'assimiler aux désirs des autres pour leur offrir, consciemment et inconsciemment, ce qu'ils souhaitent de moi. Comprenez-vous mon charabia ou dois-je résumer par une simple phrase?

– ...

– Je résume donc: je suis un non-être qui cherche à devenir quelqu'un pour être aimé.

– ...

– Deux autres phrases?

– ...

– Malheureusement, personne ne me voit tel que je suis, puisque je n'existe pas à leurs yeux ; rien de pire pour se sentir une nullité. Il faudrait me réécrire, changer mon destin. L'ai-je déjà dit ?

– ...

– Bon d'accord, ça fait trois phrases. Vous n'avez qu'à enlever celle qui cloche.

– ...

– Savez-vous quoi, Sigmund ? Je passe mes jours à tenter de me faire aimer par mes parents qui ne m'ont jamais effleuré amoureusement du regard, qui m'ont abandonné dans la nature avant même d'essayer une amorce de gentillesse envers moi. Puisqu'ils sont morts physiquement, je superpose mon désir sur ceux que je rencontre. Ainsi, les autres deviennent mes parents et ils réagissent comme eux en m'ignorant, me méprisant, m'aimant trop ou mal. Dévastateur ! La seule et unique raison expliquant leur comportement à mon égard est qu'ils poursuivent une quête similaire, ignorant que leur propre besoin d'amour est enfermé dans un coffre de leur esprit. De toute façon, comment pourraient-ils répondre à mon désir alors que le leur est toujours insatisfait et que le mien se trouve biaisé ? Cet amour creux, futile, vide, que m'apportera-t-il de plus sinon qu'un baume temporaire sur une douleur jamais rencontrée ? Un gouffre immense s'est approfondi en moi et je ne semble pouvoir échapper à son attirance destructrice. Il m'entraîne vers cette quête irréelle : le rêve de voir leur haine se transformer en amour, en attention et en bienveillance. Quête destructrice, cela va de soi. »

Œdipe cessa de parler. Il s'était presque étouffé en mentionnant ses dernières paroles.

« C'est ridicule d'espérer parvenir, un jour, à ce lieu d'amour en moi, alors que, pour l'ensemble des êtres humains, cet endroit semble le moins accessible au monde. Je ne suis qu'un orphelin, un adopté, un enfant *supposé*, *contrefait* qui, même si l'entourage ne m'a jamais engagé sur le sentier de la vérité, ne m'en a pas moins subtilement tracé les premiers indices. Au départ, il s'agissait d'une brume pas très claire, d'un savoir difficile à saisir, mais quelque chose en moi attendait une confirmation, c'est-à-dire ce mariage du savoir vague, nébuleux à celui évident, clair et limpide. Ces gens savaient quelque chose que j'ignorais, du moins en surface, car doutes et intuitions perçaient sans cesse le brouillard de mes rêves, de nuit comme de jour, sans jamais vraiment m'apporter de réponses claires. Et puis, un soir, lors d'une fête... »

Le bruit du heurtoir de la porte d'entrée interrompit Œdipe et fit sursauter Sigmund.

« La session est déjà terminée? demanda le patient.

– Non. Ce doit être un voisin. Ne vous en préoccupez pas. Ma femme de ménage va l'accueillir. Donc, vous disiez: *Lors d'une fête...*

– En effet, lors d'une fête... je... c'est difficile pour moi d'avancer sur cette route du souvenir, car elle constitue un des facteurs de ma déroute. Vous le savez, le destin frappe parfois de toutes ses forces, comme s'il voulait démolir quelques murs d'entêtement et affirmer sa primauté. Il veut nous laisser croire qu'il détient tout le pouvoir de création, alors que je suis convaincu que nous le possédons, peut-être pas entièrement, mais en bonne partie! Je vous l'assure, le destin veut tout gérer. Il détermine nos pas, empoigne notre bonheur et en l'espace d'une seconde, le fait culbuter dans un précipice. C'est lui le roi, le maître d'œuvre. Il ne veut céder sa place à personne. Il faudrait le psychanalys... »

Un cri terrible résonna dans la maison, interrompant Œdipe dans sa lancée. Sigmund se leva d'un bond et se précipita vers le hall d'entrée, son client à sa suite. Lolita reposait sans connaissance dans les bras d'un homme.

« Qu'est-ce qui se passe, Monsieur ? Qui êtes-vous ? Qu'avez-vous fait à Lolita ?

– Du calme ! répondit avec fermeté l'individu. Commençons par assister cette pauvre femme. »

Sigmund, aidé de l'étranger, amena Lolita sur le sofa du salon pendant qu'Œdipe, à la demande du psychanalyste, courait chercher une serviette mouillée dans la cuisine. À son retour, le médecin la saisit, épongea le front blême de sa domestique puis leva les yeux vers l'homme qui se tenait près de lui. Il remarqua aussitôt ce qu'il n'avait pas vu plus tôt, étant sous l'emprise du choc : un officier de l'armée britannique. Un soldat gradé attendait à la porte, le képi dans la main. Les deux avaient l'air défaits, comme s'ils venaient annoncer...

« Mon Dieu ! Non. Pas ça ! » songea Sigmund.

Le militaire lui tendit une enveloppe fripée, gondolée et sale, sur laquelle le nom du destinataire avait été partiellement effacé par des gouttes d'eau ou des larmes.

« Nous sommes vraiment désolés, Monsieur. Carlos est décédé au combat. Je vous remets la dernière missive qu'il a écrite à sa mère, la veille de son trépas. L'armée rapatriera son corps demain d'Afghanistan et s'occupera des funérailles. Nous sommes à la disposition de madame Sanchez en tout temps si elle désire obtenir davantage d'informations sur les dernières heures de son garçon. Voici notre numéro de téléphone. »

Il tendit une carte à Sigmund, qui s'en empara en demandant :

« Comment saviez-vous qu'elle travaillait ici ?

– Son propriétaire, qui demeure au rez-de-chaussée de son immeuble d'habitations, nous a remis votre adresse.

– Je comprends... Et Carlos, de quelle manière est-il décédé ?

– L'avion de combat qu'il pilotait a connu un ennui...

– Oh! Ne m'en dites pas davantage. Merci d'être venu l'avertir en personne. Je vais prendre soin d'elle, déclara-t-il, voyant Lolita reprendre vie.

– Nous allons nous retirer maintenant. N'oubliez pas de mentionner à madame Sanchez nos sincères condoléances et qu'elle téléphone le plus tôt possible à la base militaire.

– Soyez sans crainte, je lui transmettrai le message. »

Sigmund demanda à Œdipe s'il pouvait reconduire l'homme vers la sortie où l'attendait son confrère. Il acquiesça. Le psychanalyste les salua et retourna à Lolita. Elle agitait sa tête en signe de dénégation et pleurait en tremblant de tous ses membres.

« Noooooooooooooon! Je ne veux pas. Il n'est pas mort, mon petit. Il est vivant. Ces hommes m'ont menti. C'est un mauvais rêve. RÉVEILLEZ-MOI! S'il vous plaît... Ramenez-moi ces deux bandits... Je veux leur parler.

– Lolita...

– Ils m'ont enlevé mon gars. REDONNEZ-MOI MON FILS, se mit-elle à crier tout en donnant des coups de poing sur le sofa. C'est ma faute. Je n'aurais jamais dû le laisser partir. Seigneur, prenez ma vie, je ne mérite pas de vivre. Carlos, mon petit... Carlos... où es-tu?

– Lolita... je ne sais pas si le moment est approprié pour vous, mais votre garçon vous a écrit une lettre la veille de sa mort. Je l'ai ici, dans ma...

– NE DITES JAMAIS LE MOT *MORT* EN PARLANT DE MON CARLOS », lâcha-t-elle hystérique, s'étranglant sur chacune de ses paroles.

Puis, comme si l'information s'était enfoncée peu à peu dans son esprit fiévreux, elle tourna un regard rempli d'espoir vers Sigmund et demanda, avec la voix soudaine d'une petite fille :

« Avez-vous dit une lettre?

– Oui. La voici. Si vous le désirez, je peux rester à vos côtés durant votre lecture. »

Elle la prit, tremblante, sans répondre ; l'imploration dans son regard en disait davantage que n'importe quel mot.

Œdipe, de retour, signala sa présence par un léger toussotement.

« Je suis désolé. Vous comprendrez que nous ne pourrons poursuivre la session, mentionna Sigmund.

– Ne vous inquiétez pas, fit-il, complètement remué par les évènements. Je vais me retirer si vous n'avez plus besoin de moi.

– Je crois que ça ira. Merci de votre compréhension et à demain.

– Oui, à demain. »

Il salua Lolita, qui l'ignora, n'ayant de souffle et d'yeux que pour l'enveloppe qu'elle décachetait. Elle sortit la lettre, la déplia et commença sa lecture.

8 novembre 2001

Chère et tendre maman,

Durant les prochaines semaines, je ne pourrai prendre la plume et t'écrire à ma guise, mais je penserai très fort à toi. Je fais partie de la mission « Operation Enduring Freedom » en Afghanistan, cette fameuse réponse militaire aux attaques terroristes du 11 septembre dernier, sur les deux tours du World Trade Center aux États-Unis.

J'ai perdu deux compagnons de route le mois passé. Je m'accroche à l'espoir d'un complet cessez-le-feu pour le bien-être des hommes, femmes et enfants, peu importe leur nationalité, qui perdent des êtres chers durant cette bataille, qui se retrouvent estropiés pour le restant de leurs jours ou qui meurent sous les balles, les missiles et quoi d'autres ? Je déteste la guerre. Il y en a eu, il y en a encore et probablement qu'il y en aura toujours en raison de la folie humaine.

Parfois, il m'arrive de penser à la Seconde Guerre mondiale de 1939-1945, dont le caporal instructeur nous a tant parlé durant notre entraînement. Et je m'inquiète. Allons-nous cesser, un jour, nos inqualifiables tueries, nos inhumanités abominables ? Je ne le crois pas. Encore aujourd'hui, en 2001, nous commettons des gestes identiques, quoique plus raffinés, à ceux perpétrés durant les guerres précédentes. Je frémis chaque fois que je m'apprête à larguer une bombe, car, dès lors, j'échange violence contre violence. N'est-ce pas le réflexe premier dans la plupart des hostilités ?

Je pense que la violence, peu importe la nation ou l'individu qui l'exerce, ne fait pas seulement qu'appeler la guerre, elle la déclare à court ou à long terme ! Quelle horreur, pour les soldats et les civils, d'avoir été témoins ou victimes d'actes abominables ! Combien de leurs proches ont été assassinés sous leurs yeux ? Combien d'enfants ?

Humainement parlant, aucune armée défensive et offensive n'avait le droit de laisser se poursuivre un tel saccage. Le rôle des combattants consistait à faire obstacle à leur folie meurtrière. J'ose croire que les belligérants n'étaient pas pleinement conscients de leurs gestes, hypnotisés qu'ils étaient par leur soumission au pouvoir et par quelques démons intérieurs s'amalgamant au terrorisme en vigueur. Malheureusement, la barbarie existe encore de nos jours.

En ce moment, ce qui bousille ma vie, c'est de tuer pour faire advenir la paix. Je tremble chaque fois qu'un homme meurt sous mes projectiles. Si tu savais... Je dois pourtant accomplir ma tâche dans cette mission en Afghanistan.

Il y a quelques jours, à la base militaire établie à Sangin, une petite ville au nord de Lasghar Gah dans la province de Helmand — là où, si je le voulais, je n'aurais qu'à étirer mon bras pour m'emparer d'un peu d'opium —, quelqu'un a demandé à un copain pilote de l'air : « As-tu peur de perdre ta vie dans ce foutu bordel ? » Il a répondu : « Ma vie ? De quoi parles-tu ? Je l'ai déjà perdue ! » Nous l'avons tous perdue le jour où un adversaire a tué notre liberté. Nous l'avons tous perdue, aussi, au moment où nous avons donné la mort à un de nos opposants en le regardant droit dans les yeux. Ni lui ni moi n'avions de conflits personnels. Ni lui ni moi ne nous connaissions. Pourtant, nous avons tiré au-delà des fibres sensibles de notre cœur, anéantissant le soi-disant ennemi extérieur. Dis-moi, maman, à quel moment de l'existence avons-nous perdu notre capacité de regarder l'autre avec tolérance et amour ? Chaque jour, nous peignons le tableau de la vie, mais en lui retirant trop souvent ses lumières merveilleuses.

Crois-moi, aujourd'hui, ce n'est plus la vie qui coule en moi, mais la honte d'être un humain qui se bat contre d'autres êtres humains.

Je n'ai pas dormi, cette nuit-là. J'ai compris que nous sommes des morts ambulants, des fantômes qui, n'ayant pas gagné leur guerre intérieure, projettent trop souvent leur haine sur l'autre. Nous nous livrons à un jeu dangereux depuis la nuit des temps. Comme nous ne reconnaissons pas notre propre haine dans celui qui nous renvoie la balle, nous tentons de l'éviter, de l'écarter, de le neutraliser, de le blesser ou de le supprimer. Et nous croyons que notre manière d'agir nous libère et supporte la vie...

Foutaise ! Un tas pullulant et purulent de bêtises, de débilités et d'infamies ! Il avait raison, mon copain. Au moment précis de presser sur la gâchette, ni l'un ni l'autre ne saura pourquoi celui qui se tient devant soi, qui a peut-être une femme et des enfants, doit périr, sinon que quelqu'un, quelque part, en a donné l'ordre. Nous devons gagner contre les « mauvais » et le moyen ultime demeure l'extermination. J'ai honte! Et pourtant, dois-je oublier que mon rôle est de mettre un terme à des gestes violents... par la violence? Que je suis là pour, éventuellement, ériger le drapeau de la paix?

Je pleure, le soir, maman. Je pleure de mon indignité et de ma complicité dans ce grand mouvement de haine qu'est la guerre.

Ce pilote, dont je viens de te parler, il est mort, hier, après une opération aéroportée qui a mal tourné. Son Tornado, touché par un missile sur l'aile droite, s'est déséquilibré et est allé percuter la campagne afghane. Il a été transporté d'urgence au camp, agonisant, mais encore lucide. Lorsque je l'ai approché pour lui adresser mes derniers adieux, il a saisi mon bras et l'a guidé avec difficulté vers sa poche de pantalon. J'ai retiré un bout de papier presque en décomposition. Il avait griffonné cette citation bien connue de John McGee, qui, alors, prenait une valeur émouvante, troublante, déchirante. Je te la transmets:

« Je suis allé vers le soleil, j'ai rejoint les cascades chaotiques des nuages, j'ai vécu des moments dont vous n'avez jamais rêvé. J'ai survolé des sommets balayés de vent que nul aigle, nulle alouette n'ont jamais vus… Puis, j'ai sorti une main et caressé le visage de Dieu. »

J'ai pleuré. Nous avons tous pleuré.

Présentement, ce pilote vit près de son Dieu. J'espère que c'est Lui, désormais, qui apaise sa peine et sa souffrance.

Maman, je suis ébranlé jusqu'au plus profond de moi. C'était mon frère. Mon grand copain. Mon meilleur ami. Je me sens coupable de ne pas l'avoir protégé alors que j'étais occupé à défendre ma propre vie.

Il y a des moments comme celui-ci, où je voudrais revenir à ce temps impossible où l'existence n'avait de béatitude que dans ton ventre, alors que tu me portais avec enchantement vers un avenir que tu souhaitais merveilleux pour moi. Maman, je suis dérouté. J'aurais besoin de ta présence à mes côtés, que tu me tiennes la main comme lorsque, petit, tu me réconfortais quand je pleurais à chaudes larmes. J'aimerais réintégrer cette période d'insouciance de l'enfance, d'avant le drame, d'avant cette guerre, ce moment où je croyais que l'être humain représentait la quintessence de la vie.

Aujourd'hui, mes illusions ont perdu de leurs brillants, de leurs chatoiements. Elles ne constituaient qu'un feu de paille. Je ne me leurre plus. Aucune action présente ou future n'entraînera la libération des cœurs sans qu'il n'y ait, d'abord, un retour à soi, en soi, pour soi et pour l'autre.

De toutes les lettres que je t'ai envoyées, celle-ci refuse de verser dans la lumière quand le sang de personnes se répand autour de moi. Désolé, petite maman d'amour, la prochaine missive, promesse solennelle, sera remplie d'une telle lumière que tu ne pourras même pas la lire. Ha! Ha! Ha!

Celle-ci, malgré tout, je te l'écris sous la caresse des étoiles, mais aussi, sous un vent vif et frileux qui rejoint mon état d'âme. Ce serait difficile, pour moi, de te faire croire que tout va bien.

Je connais ta crainte que je sois abattu par un tireur d'élite en plein ciel ou, encore, emprisonné dans un camp adverse. Ne t'inquiète pas. Je suis toujours vivant. Sans prétention (hum...), je suis un des meilleurs soldats de l'escadron et je t'assure, je suis rusé. Je m'en sortirai avec tous mes morceaux et, surtout, avec un beau sourire au moment de nos retrouvailles. Ce qui ne saurait trop tarder, je l'espère.

Comment se porte mon p'tit frère adoré? Dis-lui que je m'ennuie de lui. Advenant que je sois absent durant le temps des Fêtes, je vous souhaite à tous les deux un joyeux Noël et une Nouvelle Année remplie de ce qui demeure le plus essentiel en cette guerre maudite: l'amour. Il n'y en aura jamais assez sur cette terre.

Je vous serre dans mes bras et, plus tôt que vous ne le croyez, je vous chanterai mon bonheur d'être avec vous.

Je t'aime, maman!

Je t'aime, Francesco!

Carlos xxxxxxxxx

P.-S.: Même s'il est difficile pour moi d'aborder ce sujet en fin de lettre et que je vais sembler me contredire, nous devons tout de même regarder la réalité en face. Je peux aussi perdre la partie. Je ne le souhaite pas, on s'entend, mais c'est de plus en plus serré ici. Dieu! que c'est délicat et ardu à dire... Si jamais cela advenait... Maman, Francesco, je vous guiderai de là-haut. Je serai TOUJOURS près de vous. D'accord?

N'oubliez jamais que la vie possède un horizon pour chacun d'entre nous. Il s'agit d'accepter qu'il puisse ne pas être parfait, sans faille et comme on le voudrait. Si mon destin est de tomber sous les mains ennemies et d'en mourir, que puis-je y changer?

Bon! Ne poursuivons pas ce scénario sombre! Demeurons optimistes et confiants! JE VOUS AIME! Vous éclairez cette difficile période de mon existence ne serait-ce que par le souvenir de votre sourire et de vos beaux yeux pétillants. Hasta pronto...

Les larmes de Lolita, qui avaient coulé tout au long de cette lecture, se transformèrent en sanglots bruyants. Elle s'effondra sur Sigmund, assis à ses côtés, une douleur indicible ressentie jusqu'au fond de l'âme.

Le pressentiment qui avait couru en elle, le jour même du départ de Carlos dans l'armée, ne l'avait pas trompée. Il avait enserré son cœur de mère avec toute la violence d'une certitude désastreuse. Dans les profondeurs de son être, elle avait su que son fils ne reviendrait jamais de la guerre, comme des années plus tôt, elle avait su avec exactitude à quel moment il naîtrait. Craignant que cette intuition se nourrisse de ses pensées angoissantes et grossisse à en devenir intolérable, elle l'avait écartée avec rigueur de son champ conscient chaque fois qu'elle tentait de s'enraciner, orientant tout de suite son esprit vers la vie. Ne s'agissait-il pas du meilleur moyen de conjurer le sort?

Lolita pensa aux mots *nous serons ensemble,* que Carlos avait écrit avec une telle inconnaissance de l'avenir, n'ayant pu ressentir concrètement qu'ils ne se reverraient plus jamais. Ne l'avait-il pas présagé à un niveau différent? Son post-scriptum n'en représentait-il pas la preuve flagrante? Cette *missive lumineuse,* qu'il lui avait promise, elle proviendrait d'un autre espace, d'un autre lieu...

Lolita regarda l'enveloppe. L'odeur de son fils devait y être encore imprégnée... Elle la porta à son nez... puis la serra contre son cœur.

Carlos, mon cher enfant... mon garçon...

Durant l'adolescence, il n'avait pas hésité à arrêter son choix de carrière sur son rêve de jeunesse: devenir pilote d'avion et sauver les plus démunis. Loin d'être chimérique, ce désir avait connu sa pleine réalisation au moment de s'engager dans l'armée de l'air. Le matin de son départ, deux larmes fugitives avaient roulé sur ses joues...

J'aurais dû retenir mon fiston... J'aurais dû...

La respiration de Lolita s'essouffla et la lumière du jour s'estompa devant ses yeux… Des étoiles se mirent à danser… Elle perdit de nouveau connaissance.

5

Depuis le décès de Carlos, quelques semaines plus tôt, Œdipe marchait souvent de longues heures dans les rues de Londres, pour tenter de vaincre le sentiment d'angoisse qui l'oppressait. Comment Lolita émergeait-elle de cette épreuve ? Retrouvait-elle un peu de paix intérieure ? Sigmund était-il présent pour l'épauler dans sa terrible peine ?

La mort, toujours la mort ! Elle survenait de manière abrupte et la plupart du temps, au mauvais moment, rendant l'humain fragile ou, plutôt, lui démontrant sa fragilité devant l'inéluctable destin de l'homme.

Cet évènement l'avait profondément remué — autant la douleur déchirante de Lolita que l'incapacité, pour lui, de s'élever au-delà de sa hantise de la mort. Sa seule défense consistait en une colère sourde contre le destin qui emportait des êtres, même au sein de la plus belle des jeunesses, établissant un présent irrespirable pour les personnes touchées par cette perte.

Perdu dans ses réflexions, Œdipe sursauta lorsqu'au détour d'une allée déserte, il aperçut Kevin s'approchant vers lui, le vent dans le toupet, la barbe couleur de givre, le visage cuivré et les yeux carmélite ornés de plissés ressemblant à ceux d'une robe de religieuse. *Sapristi! Revoici l'ombre!*

Chacune de ses apparitions subites déclenchait son incrédulité et sa suspicion. Comment ce mendiant s'organisait-il pour jaillir, telle une sauterelle, là où lui-même se trouvait, et cela, au moins une fois sur deux?

« Salut, le mec! lança le clochard.

– Salut, Kevin, répondit Œdipe d'un ton acerbe.

– L'enthousiasme, dans votre salutation, me semble inexistant.

– Ne vous en déplaise, je suis pressé. Un rendez-vous d'importance mobilise mon attention. Je vous prie donc de me laisser poursuivre mon chemin, déclara Œdipe d'un ton rogue.

– Une gonzesse?

– Non. »

Il ne lui mentionnerait sûrement pas qu'une consultation prévue avec un psychanalyste hâtait son pas et que son humeur se refusait à tout dialogue, que ce soit avec ce sans-abri ou Sigmund, plus tard. Depuis le décès de Carlos, chaque fois qu'il rencontrait le médecin, un bouclier de défenses et de résistances se levait pour empêcher certains sentiments douloureux de voir le jour.

Œdipe sentit le nœud dans son estomac se resserrer au point de lui faire mal. Tout ce qui relevait d'un questionnement sur le désir, les liens, la naissance et la mort entraînait en lui une montée rapide d'émotions, aussi contradictoires les unes que les autres, et il ne s'en échappait que par un effort de volonté suprême ou par une fuite devant l'élément déclencheur. Échappatoire très relative, car une angoisse indéfinissable demeurait tapie en lui, prête à renaître à tout instant.

« Vous vous esquivez souvent sous l'ombrelle protectrice du silence ? lança poétiquement Kevin, surpris du mutisme de son interlocuteur. Ne carburiez-vous pas à l'adrénaline, il y a à peine quelques secondes, afin de vous rendre à un tête-à-tête, dont vous choisissez sciemment d'en retrancher les détails dignes d'intérêt à mon esprit curieux. Dites-moi, qui est la belle inconnue ?

– Êtes-vous sourd ? Je vous ai mentionné qu'il ne s'agissait pas d'une femme. D'ailleurs, je souhaiterais que vous libériez le passage.

– Si je refuse, par pure envie de provocation, coquine, il va sans dire, allez-vous me tuer pour circuler, tel un certain malfaisant à un croisement de routes qui, dans une colère meurtrière, assassina son père pour ensuite épouser sa mère… sans s'en douter, bien sûr ? Dommage pour vous, je n'ai pas d'épouse. Je suis un mendiant. Un Tirésias des Temps modernes, quasi aveugle avec ses verres épais comme un fond de bouteille. Vous connaissez Tirésias, j'imagine, ce devin inspiré et non voyant de Thèbes, convoqué au palais afin qu'il livre le nom du meurtrier de l'ancien roi Laïos, père d'Œdipe ? »

Œdipe sursauta violemment en entendant ces paroles. Ce va-nu-pieds était au courant de cette tragédie du poète Sophocle…

L'exaspération monta en lui. Il céderait bientôt à la pression si Kevin abusait davantage de sa patience déjà exacerbée. Et le débordement ne serait pas des pleurs. Ce gueux avait tout intérêt à ne pas outrepasser les bornes.

« Est-ce si difficile de comprendre que vous êtes un obstacle pour moi en ce moment ? S'il vous plaît, laissez-moi passer. Je ne suis disposé à aucune concession, dit-il à Kevin, qui le bloquait à chacun de ses mouvements.

– Trop tard. Vous m'avez tué avec vos mots. Néanmoins, oh miracle ! dans un soudain et ultime sursaut, je ressuscite. Je vais même laisser vos paroles à la dure courir la campagne, car je me vois fort content de votre rencontre ultérieure avec votre mystérieux personnage. Par bonheur, il ne s'agit pas d'une nana, sinon je me serais rapidement transformé en un individu rustre et grossier pour vous avertir de ne pas vous laisser empoisonner l'esprit par vos rêves illusoires. Vous êtes loin d'être l'homme idéal et pas un seul de vos scénarios ne fera qu'une femme viendra chatouiller votre cœur cousu de fils de peur et de haine. »

Œdipe demeura muet d'indignation avant de s'exclamer, outré :

« Vous faites exprès pour m'horripiler ? Essayez de me retenir une minute de plus avec vos imbécilités et une lueur d'embrasement se pointera à l'horizon. Il s'agira bel et bien du feu de ma colère. À votre place, je m'abstiendrais d'en allumer la mèche.

– Qu'est-ce que je disais ? La haine vous sort par les narines ! Un véritable dragon ! Pas de vertu, on s'entend. Je peux même entrevoir, par anticipation, votre brasier incandescent enfumer mon territoire. Ma foi, vous faites chorus avec Érostrate : direct dans la folie destructrice !

– Qui est ce type ? demanda Œdipe nerveux.

– Je suis bouche bée ! Moi, le mendiant en haillons, je me vois dans l'obligation d'enseigner à monsieur le bourgeois quelques notions élémentaires de mythologie grecque ! N'y constatez-vous pas une antinomie flagrante, une contradiction criante ? Me présentant, en toute humilité, comme le bon samaritain de la culture, je vous offre donc mon magnifique savoir pour élargir votre bagage qui, décidément, m'apparaît bien bas dans l'échelle des connaissances.

– Ne vous couvrez pas de ridicule plus qu'il n'en faut. Passez outre votre charabia et allez droit au but, s'insurgea Œdipe.

– L'enfer vous grignote, ma foi !

– S'il vous plaît, ne me voyez pas là où vous vous dirigez, à moins que vous n'y soyez déjà, ce qui ne me surprendrait pas. Répandre la nuit et vous y complaire semble une activité que vous privilégiez largement. Sombrez tant que vous voulez dans votre géhenne, mais ne m'entraînez pas dans votre sillage.

– Ouais! Ouais! Discutez toujours, cependant n'oubliez jamais que l'obscurité, en l'occurrence, moi, selon votre perception, met en relief la clarté dans votre esprit enténébré. Peut-être ne le savez-vous pas encore, mais la noirceur est aveugle et la lumière aveugle. Par contre, placez les deux dans un même espace et un spectacle d'une grande beauté naîtra, comme ça, sous vos yeux ébahis et ébaubis. C'est fou, non? Un ciel tout barbouillé de noir permet de bien voir la lune, les étoiles, la Voie lactée... Ouf! Je me sens devenir rose.

– Vous résumez votre histoire d'Érostrate ou quoi?

– Quoi.

– VOUS ÊTES EXASPÉRANT!

– D'accord! Je m'incline. Vous connaissez sans doute Sartre, à moins que...

– Au but! Allez droit au but!

– Oh là là! Que vous êtes de mauvais poil! Je cherchais simplement à solliciter vos petits neurones afin de les éveiller aux connaissances enfouies quelque part sous votre chevelure rebelle. Par l'établissement de certaines connexions synaptiques, vous pourriez saisir que, même en dépit de son aspect opaque, sinistre et triste, la pire noirceur, la pire des délinquances représente la lumière de guérison pour qui sait la décortiquer et lui reconnaître son droit à l'existence. De toute façon, il y aura toujours un passant pour ramener quelqu'un sur le bon chemin, lui dire qu'il est plongé dans la noirceur et qu'il doit trouver un moyen de s'en sortir. N'est-ce pas?

« Donc, pour revenir à notre sujet, me pliant de nouveau et en toute humilité à votre exécrable humeur, j'acquiesce à votre demande en vous révélant que, dans une des nouvelles de son recueil intitulé *Le mur*, Sartre a rapporté les grandes lignes du mythe d'Érostrate. Ce fameux gonze — un nul qui désirait s'illustrer et briller comme vous avec votre habillement pittoresque — a mis le feu à une cabane de richards puis il s'est tiré de là.

— J'imagine un tantinet que Sartre employait des mots un peu plus raffinés que les vôtres pour décrire les faits !

— À peine !

— Quel culot !

— S'il vous plaît, je n'ai pas fini mon histoire, s'exclama haut et fort Kevin, comme s'il reprenait un enfant récalcitrant dans une classe.

— Accélérez le débit, je dois partir.

— Calmez-vous, monsieur ! N'a-t-on pas idée de vivre, ainsi, au bout de son souffle ? Je poursuis. Or, quand on demandait aux gens de nommer l'architecte de cette demeure, détruite par un tempérament de feu, ils devenaient tous pantois, frappés d'ignorance. Nul son ne sortait de leur bouche, car du maître d'œuvre, ils ne conservaient aucun souvenir. Cependant, dans une unanimité quasi scandaleuse, ils prononçaient avec assurance et certitude le nom de l'infâme ayant incendié la masure. Oups ! Ai-je dit masure ? Quel lapsus vient donc ici me surprendre et révéler ma pensée secrète ? En fait, il s'agissait du Temple d'Artémis à Éphèse, ou si vous préférez, l'humble logis de la déesse Diane, une des sept merveilles du monde, sans aucun doute, la première, à mon avis. Je parle de Diane et non pas du temple. Les historiens, les repreneurs d'histoires et le peuple se sont gourés sur toute la ligne en croyant que le matériel possédait du merveilleux. Enfin, Sartre de conclure, parlant d'Érostrate : *Vous voyez qu'il n'avait pas fait un si mauvais calcul.* Bien entendu, le nom d'Érostrate a été retenu par tout un chacun, mais celui du concepteur du temple, *niet*, rien, zéro. N'est-ce pas là un exploit de génie, quoique d'un aspect sombre et subversif?

— Si vous le voulez.

— Conclusion, Érostrate, selon son plus cher souhait, devint illustre, d'une flamboyante notoriété, bien que posthume, car il fut exécuté peu de temps après son arrestation. Chagrinant de penser qu'il n'a pu jouir de son bon coup. Avez-vous remarqué — sûrement pas — que son nom se trimbale avec le mot *éros*? Qui eut envisagé que sa pulsion de vie endosserait celle de la mort et de la néantisation? Quoi qu'il en soit, il devait avoir froid, très froid de son désir non comblé. Une solitude colossale. Il a cherché à se réchauffer devant l'âtre en foutant le feu à la masur... au Temple, voulais-je dire.

— Vous vous égarez, Kevin. Où désirez-vous en venir avec votre sermon fumant? Quel rapport avec moi?

— Juste un petit rappel de votre caractère dionysiaque. Un peu trop enthousiaste, emporté par l'euphorie de la conquête et du dépassement, sur la ligne même de l'ambiguïté, mais surtout, un brin explosif, destructeur et incendiaire. Tout bien considéré, le qualificatif « démoniaque » vous conviendrait davantage. Il y a quelques instants à peine, ne songiez-vous pas à un embrasement avec le feu de votre colère, à une quelconque tragédie pour mettre fin à notre conversation? Vous êtes de la lignée des Eschyle, Sophocle et Euripide. Ils nous en ont tous mis plein la vue avec leurs malheurs répétitifs sur fond de tempêtes existentielles et, bon sang, vous semblez vouloir poursuivre dans leur continuité!

— Dites donc! Comment se fait-il que votre tête remplie de bulles d'alcool arrive à piger dans toutes ces histoires grecques pour en ressortir quelques-unes seyant à votre pensée du moment? Étudiez-vous les mythes et les tragédies, la nuit, quand votre sommeil fuit dans le bruit et le froid, quand votre propre tragédie ne suffit plus à saisir le pourquoi de sa présence dans votre vie ?

— Je dénote un misérable sarcasme dans vos paroles. Et le mot *misérable* n'a d'étroit que les neuf lettres dont il se compose et non la vaste connotation caustique que j'y annexe à votre insu. Nuit, fuit, bruit: vous êtes soit poète, dans un état dépressif avancé ou tout simplement un ignorant. Sachez, monsieur, que j'ai de la culture. Et la culture, sans un minimum de support financier, n'apporte rien à personne, sinon qu'à des paumés comme moi qui en rencontrent d'autres comme vous. Certaines instances dirigeantes n'ont que faire des gens errant dans la rue. Ils les tassent comme de vulgaires canailles, prétextant leur violence et insalubrité pour justifier leurs actions. En réalité, ils n'ont de priorités que le pouvoir, la réussite, la gloire et, surtout, l'espoir camouflé, mais peu reluisant, de récolter le maximum de votes auprès de ceux qu'ils engraissent à coup de pots-de-vin, alors qu'en fait ils les mithridatisent.

— Mitri-da-quoi ? Il vous en coûterait d'être plus clair ?

— Oh ! Excusez-moi ! J'oubliais que je vous parlais.

— Aboutissez, s'il vous plaît ! Sinon je vais croire que vous avez été inventé strictement pour m'ennuyer ou pour donner crédibilité au mot *casse-pieds*.

— Que d'honneur pour moi !

— Tut ! Tut !

— Bon. D'accord. Mithridatiser signifie rendre une personne insensible, froide, indifférente, atone, imperméable, anesthésiée…

— Kevin !

– Euh… bref, léthargique. Connaissez-vous la façon dont quelques-uns s'y prennent pour atrophier quelqu'un de sa pensée soi-disant libre ?

– Non.

– En l'accoutumant, à petites doses, à un poison. Et dans ce cas-ci, le poison est leur argent déguisé en ambroisie, offert pour les gagner à leur cause. Même pour faire plaisir à ces personnes de la haute noblesse d'épée, je ne boirai pas de leur potion toxique ni ne mangerai de leurs plats avariés. Je préfère demeurer un mendiant et mourir dans la dignité.

– Mendicité et dignité… Je ne sais pas, mais il me semble percevoir un oxymoron dans ces deux mots, une contradiction pour le moins flagrante.

– Et, moi, je découvre le moron oxydé en vous. Où sont vos électrons positifs ? Que connaissez-vous de la mendicité ? Rien ! Absolument RIEN ! Apprenez que cette condition indigente exige une dignité et un courage sans coup férir pour affronter les regards condescendants des gens. Particulièrement ceux qui vous offrent des piécettes du bout des doigts, alors qu'ils sont cousus d'or et qu'ils convoitent le butin du voisin démuni. C'est leur façon d'apaiser leur conscience, mais aux yeux de qui ? Je vous le donne en mille.

« Ces gens ne savent-ils pas que la vie est simple ? Un clair de lune, une p'tite brise de nuit, un whisky écossais et une jolie dame qui passe et s'arrête… D'après vous, des deux individus suivants, lequel est le plus digne : celui qui vit librement sous les étoiles ou celui qui vend les étoiles aux plus offrants ?

« Que ne ferais-je, si vous saviez, pour dessiller les yeux de ces prétendus humains heureux rencontrés au hasard de mes déambulations ? insista Kevin.

– Tout et rien, j'imagine. »

Le clochard ne releva pas ces derniers mots et poursuivit sur sa lancée.

« Par voie de conséquence, n'écoutant que ma bonté et mon abnégation, je distribue mes connaissances avec largesse pour enrichir les bagages des passants, plus saouls de leur vie errante que moi de boissons javellisant mon quotidien. Je vous l'assure, loin d'être mélancolique, comme bien des gens le prétendent, mon petit train-train quotidien circule sur une voie extatique. Je suis conscient que cette simple possibilité court-circuite les neurones des personnes dites lucides de ce monde : *Voyons M'sieu! Un gueux extatique! Ce n'est certainement pas la joie ultime ni le désir de dépassement qui l'ont conduit à sa repoussante décrépitude? N'importe qui, sauf un autre mendiant, s'avère un roi à ses côtés. Bouchons nos narines et déguerpissons au plus vite!*

« Bien sûr, il va sans dire que les individus misérables ne vivent pas tous dans la rue, que les sans-abri ne sont pas tous fauchés et que les clochards…, euh… sont majoritairement mélancoliques, dépressifs, malfamés et tout le tralala.

« Maintenant, ne serait-ce que pour confondre votre pensée, j'ajouterais que, personnellement, je suis un extatique ivre appréciant les fausses illusions et les réalités chimériques qui semblent vraies. Pourquoi j'enivre ma vie? Vous, le passant, le savez mieux que moi. Les gens pensent tout connaître des autres. *Pauvre clochard, il souffre terriblement. Sans doute, sûrement, obligatoirement, par la force des choses, il doit posséder quelques vices de construction dans le cerveau et quelques horreurs dans son sac de vécus.* De toute façon, aux yeux des bien-pensants, c'est un miteux, un vaurien, un malsain, un sans lien

— Vous m'avez tout de même brossé un tableau de vos déboires lors de notre souper au Trafalgar Square Cafe, rappela-t-il au mendiant.

— Un souper? Une collation, vous voulez dire!

– KEVIN ! s'insurgea Œdipe. La reconnaissance vous siérait à merveille si vous osiez l'essayer. Ne pourriez-vous pas, le temps d'une respiration, sortir de votre mauvaise volonté et adoucir un peu votre langage ?

– Vous me servez la rengaine habituelle de ceux qui orientent leur puissant projecteur vers l'autre. Quand le bouillon surchauffé de la colère vous gagne, êtes-vous capable, vous, de n'en point faire cas ? »

Œdipe frissonna, ne sachant trop si ce tressaillement résultait du froid ou dérivait de la dernière tirade de Kevin. Il décida de ne pas répondre, de crainte d'envenimer la conversation.

« Les gens me considèrent un être inférieur à fuir, mais, en réalité, ils se dérobent à leur propre miroir ; image mal intégrée de leur existence. Ne sommes-nous pas tous des chercheurs de lumière et de vérités, chacun à notre manière, dans notre tour de contrôle, à partir de nos folies, nos limites, nos petitesses et nos lacunes affectives ?

« Sachez que je ne suis pas le seul idiot — présumé — qui s'éclaire faiblement pour voir ses obscurités. D'ailleurs, cher passant, connaissez-vous la distinction indéniable entre les véritables sages et nous, prospecteurs assoiffés, perdus dans notre désert émotionnel — je m'inclus dans ce nous pour vous faire plaisir ?

– Non.

– Les sages revêtent la lumière de la vérité comme chemise de nuit, alors que nous, les chercheurs de sens, nous nous recouvrons de la lueur d'une ampoule pour nous endormir dans nos illusions. Si un nimbo-stratus venait à passer et décidait de crever son abcès, nous serions fichus ! Nos illusions seraient noyées d'un coup, car, de toute évidence, aucune ampoule n'a jamais tenu le coup sous des trombes d'eau ! Quoique je n'aie jamais vu, non plus, un nuage au-dessus d'une ampoule ! Et que dire de ma

présence dans une demeure, du moins, ces dernières années ?
Rien n'est parfait, sauf si l'on tient compte de l'illusion qui, elle,
est parfaite… »

Œdipe émit un sifflement.

« Du délire psychédélique, de l'extrême folie ou de l'intelligence fulgurante ! Les trois, peut-être ? Impressionnant ! Comment se fait-il que vous, le mendiant, passé maître dans le savoir,
la culture et l'art de la communication, autant brillante, hasar-
deuse que râleuse, ne ressentiez pas une envie impérative de réintégrer la société en quittant votre marasme alcoolisé et votre
misère noire ? Le temps ne serait-il pas enfin venu de sauter par-
dessus la clôture de vos peurs pour vous retrouver parmi le commun des mortels ?

– Non. Parce que vous venez de le dire : ils sont communs et
mortels. Je préfère ma vie libre, exceptionnelle et vivante. Que
sont les p'tites misères de parcours quand le loyer est payé puis
de comptes à rendre, je n'en ai aucun, sinon qu'à moi-même ?

– Et les gens ? La collectivité ? Le monde ?

– De la peur, de la peur, rien que de la peur. »

Œdipe poussa un profond soupir. La neige virevoltait autour
d'eux et continuait de se répandre sur la chaussée londonienne.
Cet homme devait avoir froid…

« C'est peine perdue. Nous ne pourrons jamais nous comprendre, conclut soudain Œdipe. Votre vie n'est pas libre, exceptionnelle et vivante. Vous êtes un mort ambulant qui n'attend que
son dernier souffle pour disparaître et ne plus avoir à faire face à
son marasme existentiel. Vous êtes un macchabée qui joue des
mots comme d'autres jouent de la musique pour mieux endormir
ses interlocuteurs. Mithridatiser, disiez-vous ?

– Vous, vous, vous… Employez donc le « je » dans votre
réplique ! Un univers nouveau s'ouvrira sous vos yeux. De plus,

je vous assure que nous nous entendons très bien. Nous sommes même parents, ne serait-ce que par votre habileté à attraper le vent pour le transformer en tempête.

— Vos paroles ne sont que de la projection, Kevin.

— Bravo, mon frère ! L'étincelle vient de s'allumer dans votre esprit. Vous avez enfin compris. Sauf pour un petit détail. Ne vous croyez pas au-dessus de la projection. Nous roulons tous les deux sur la même autoroute. Par contre, est-il nécessaire de vous préciser que vous conduisez une *Rolls Royce* et moi, une *Lada* ? Malgré cette différence de carcasse, vous n'arriverez pas beaucoup plus vite à la ligne d'arrivée. Vous n'êtes ni meilleur ni pire que moi, quoique dans la situation particulière qui nous occupe et faisant référence à votre indubitable chance, comparativement à la mienne, il est possible, je dis bien possible, que le drapeau blanc de la victoire vous revienne. Victoire bien éphémère, tout comme celle d'Érostrate après l'incendie. De toute façon, à quoi vous servirait d'être le premier si ce n'est que pour jeter de la poudre de perlimpinpin aux yeux des gens déjà leurrés, poudre qui, par la suite, disparaît après avoir brillé de tous ses feux ?

— Pourquoi voudrais-je être le premier ou je ne sais quoi ? Serait-il possible, pour vous, de me considérer autrement ?

— Non. Car, rien ne me dit, en ce moment, que votre recherche n'est pas davantage tournée vers les hauts plateaux de la reconnaissance. Me fiant au fait que le désir du paraître et de la conquête représente le lot de la majorité humaine, je doute fort de vos véritables et nobles intentions.

— Donc, si on en revient à la projection, vous me dites, là, que vous doutez de *vous* et de *votre* quête personnelle déguisée en désir de reconnaissance ?

— Évidemment, tous se défendent de leur véritable désir qui, lui, en cache un autre plus noble — heureusement —, celui de vouloir être aimé. L'humanité se divise en deux clans bien distincts: les faux humbles, quatre-vingt-dix-neuf pour cent d'entre eux et les humbles, un pour cent. La minorité remporte la palme d'or de la sagesse, de l'humilité, de la vertu et de la vérité. Nous pouvons même réduire cette minorité en poussières subatomiques. Alors, nous découvrons qu'une seule de ses fines particules de vie serait porteuse de la véritable lumière, de tout un savoir intangible et invisible à nos yeux. Mon seul souhait est qu'un chatouillement survienne dans le nez de cet être d'exception, de ce rédempteur des Temps modernes, et que, de son éternuement subséquent, nous soyons éclaboussés de millions de petits microbes contagieux, porteurs de vérité. En attendant le jour fatidique où la grippe de la sagesse engendrera une pandémie mondiale, laissons-nous dominer par les effluves enivrants d'un bon scotch.

– Voilà des propos intéressants, mais votre quête de l'absolue vérité ne m'intéresse pas. Elle s'adres…

– Oh que si! Sans quoi, vous passeriez outre mon charabia sans y faire écho. La quête de vérité, même absolue, et le désir de connaître sont des aspects constitutifs de l'être humain, sauf qu'il faut savoir à qui et à quoi ils servent.

– Qu'en est-il de votre conquête de la boisson? demanda Œdipe.

– Une telle question démontre votre soif de supériorité sur moi.

– Kevin! Vous êtes insupportable! Il existe des centres de désintoxication, vous savez.

– Oui, oui, monsieur expérience et compétence. Où avez-vous caché le violon? s'informa-t-il, faisant mine de regarder autour de lui, à la recherche de l'instrument de musique. Comment pouvez-vous saisir la vérité sur mon soi-disant malheur? Vous ne connaissez que l'histoire de mes déveines, non pas leurs véritables origines. Vous vous accrochez au visible sans même sonder ses dessous. Mais, où donc est ce fichu violon ? »

Œdipe éprouva soudain un élan de pitié pour cet homme dont la colère et le cynisme couvraient un gisement de douleurs et de tristesses. Ses mauvais souvenirs, enfouis depuis trop longtemps dans ses bagages, empruntaient aux oripeaux autant les puanteurs que les flétrissures. N'essayant d'aucune façon d'en faire le nettoyage, ils les laissaient agir sur sa vie en rouspétant de temps en temps. Souvent. Très souvent. Pourtant, son intelligence, indéniablement supérieure à la moyenne, méritait une attention spéciale. Qu'attendait-il pour sortir de son bourbier qu'il se représentait, malheureusement, comme une oasis dans un monde en perdition ?

Œdipe songea que lui-même, d'une certaine manière, ressemblait à ce gueux. Non par l'intelligence, dont il se croyait totalement dépourvu, mais par son repliement sur lui-même, dans une petite tente similaire à celles piquetant la plage de Zandvoort en Hollande — lieu où il allait souvent se réfugier —, afin de s'enivrer avec le seul alcool pouvant anesthésier son passé : l'illusion. De cet endroit rétréci en lui, il n'apercevait qu'un bout de mer. Pourtant, elle s'étendait vivante et forte, avec ses rumeurs lointaines et ses petits ou grands éclats de rire, quand elle venait chatouiller les grains de sable sur la grève.

Œdipe regarda le mendiant empoigner sa bouteille de whisky écossais et boire à longs traits le liquide aux reflets orangés.

Avec lui, aucune discussion sans piques ne verrait le jour ; autant poursuivre sa route. D'ailleurs, il s'était déjà trop attardé compte tenu de son propre état émotionnel. Et puis, il y avait son rendez-v…

« Zut ! Mon rendez-vous ! s'exclama-t-il. Je suis en retard. Je dois partir.

– Je vais aller, de ce pas, soigner mon abandon », répliqua vivement Kevin.

Sans plus, le mendiant tourna les talons et disparut dans une sombre ruelle, laissant Œdipe littéralement pantois. Cet alcoolique n'avait pas l'habitude de partir sans argumenter en long et en large, ne serait-ce que pour le bénéfice de gagner une partie oratoire. L'avait-il trop brusqué ? Impossible !

Tout en avançant d'un pas rapide vers la résidence de Sigmund, Œdipe frémit de compassion à la pensée que Kevin, l'âme broyée par ses souffrances, n'arrivait pas à quitter son habit pouilleux : son asile, sa couverture. Quand la nuit tombait, dans son palais de la rue, quelques reliquats de ses terreurs devaient sûrement refaire surface. Alors, il buvait jusqu'à l'ivresse pour ne pas les ressentir…

Œdipe pensa que, cynisme en moins et sourire en plus, quel homme d'envergure Kevin pourrait devenir. La vivacité de son esprit devait en fasciner plus d'un, du moins, ceux qui osaient s'approcher de cet être porc-épic. En ce qui le concernait, il n'était pas là pour changer le destin de quiconque, notamment si la personne ne le désirait pas, que ce soit de manière consciente ou inconsciente. Qui était-il, de toute façon, pour se croire capable d'aider un individu à émerger de ses obscurités, alors que lui-même ne parvenait pas à transformer sa propre existence ?

Œdipe aperçut la résidence du psychanalyste. Son cœur manqua un battement.

6

❦

Sigmund fut réveillé de sa nuit agitée par la pelle obstinée d'un voisin grattant la légère couche de neige tombée la veille au soir, comme s'il s'agissait d'un amas substantiel laissé par une tempête. Incapable de se rendormir, il balança ses jambes hors du lit, se leva, s'étira et se dirigea, fourbu, vers la fenêtre. En ouvrant les rideaux, la stupéfaction se peignit sur ses traits. Un paysage couvert d'un blanc immaculé scintillait sous les reflets naissants du soleil, vision saisissante pour un matin ébouriffé. Les flocons, pourtant rares à Londres, continuaient de tomber sur la ville qui, sans nul doute, s'éveillait sous les « ho! » et les « ha! » admiratifs de citadins rêveurs et sportifs et de quelques « zut! » et « merde! » de gens mécontents du pelletage en perspective.

Dans le parc, à cette heure matinale, des enfants s'amusaient, sur une patinoire de fortune, à tracer des huit avec les lames acérées de leurs patins tandis que d'autres s'élançaient sur la glace, glissant sur les genoux ou le ventre, jusqu'à la lisière de la neige, en criant de plaisir. Déjà, le miroir commençait à fumer, signe qu'en après-midi la surface figée se consumerait vraisemblablement en une flaque d'eau.

Le psychanalyste observa les mômes un long moment. Durant sa jeunesse, jouer avec des copains, un en particulier, avait mis en joie ses journées jusqu'au moment où son existence bascula dans l'effroi. Les amarres qui le reliaient au bonheur se rompirent avec le bruit sec d'une profonde déchirure, redoutable cassure en pleine adolescence. Au même instant, les volets de son cœur se fermèrent sous la force des vents frappant avec violence sur sa vie. Il avait quinze ans…

Sigmund sentit l'angoisse se répandre en lui comme une nappe de pétrole sur une mer limpide. Il dut la retenir, l'endiguer pour qu'elle n'atteigne pas le rivage d'une douleur déniée, entachée de la fange de la honte et de la culpabilité. Depuis l'incident fatidique, il s'imposait l'évitement perpétuel de cet évènement ; certaines histoires, de par leur simple existence, incitaient au retrait et exigeaient le silence.

Une fièvre monta en lui et une sueur perla sur son front, deux manifestations qui ne provenaient d'aucune grippe contaminant son corps. Il respira calmement et profondément pendant de longues minutes afin d'atténuer sa tension nerveuse. Puis, il alla se doucher, prit son petit-déjeuner et se rendit à la bibliothèque pour lire un peu avant l'arrivée d'Œdipe. Exceptionnellement, il le rencontrait en avant-midi plutôt qu'en soirée.

Il laissa la porte ouverte derrière lui.

Erreur !

Zigzag, poursuivi par Charley, arriva en trombe dans la salle de lecture, sauta sur la table de travail, glissa de tout son poids sur la surface lustrée et renversa le bocal de billes, souvenir précieux conservé de son enfance. Les boules s'éparpillèrent sur le plancher en un concert cacophonique. Lolita surgit en courant dans la pièce et attrapa son chien qui s'approchait en grognant de Zigzag, terrorisé, le dos courbé et le poil hérissé.

« Désolée, Dᴿ Dorland! Je ramène tout de suite Charley dans la cour. Il a dû se faufiler à l'intérieur de la maison lorsque j'ai sorti les poubelles.

– D'accord », déclara Sigmund, un peu frustré.

Il se pencha et ramassa une à une les boules chamarrées. Puis, avec une légère pointe de contrition dans la voix et dans une sorte de mouvement expiatoire — comme si le chat pouvait conscientiser son irritation et en être offusqué —, il dit à Zigzag: « Tiens, c'est pour toi, filou, même si je devrais plutôt t'envoyer au diable vauvert. » Il lui offrit la plus belle bille, celle turquoise au cœur constellé de pépites brillantes. Aussitôt, ses grosses pattes d'en avant lui livrèrent une bataille rangée. On eut cru qu'il était sur une patinoire, s'apprêtant à compter un but, sans obéir, il va de soi, à aucune loi sauf les siennes. En moins de deux, la sphère en vitre se retrouva dans le coin d'un mur, deux yeux topaze la fixant dangereusement.

« Allez, file maintenant! Je dois aller rencontrer un patient », déclara-t-il à l'adresse du minou en le poussant hors de la pièce. Zigzag émit un miaulement avant de déguerpir, la queue fièrement érigée tel un drapeau de la victoire, délaissant sa proie avec une parfaite indifférence.

Sigmund effectua un effort de volonté pour écarter son malaise qui revenait en force. Pourquoi cette tragédie d'un temps révolu surgissait-elle encore malgré toutes ses tentatives de la conserver dans le silence de l'occultation?

Il vivait en déséquilibre perpétuel sur le fil de la honte. À tout instant, cette condition précaire détenait le pouvoir de le faire tomber dans la plus cruelle des nuits de l'âme. Afin de contrer cette force destructrice, il fuyait à outrance dans le travail ou les dérivatifs de l'esprit, que ce soit par ses lectures ou ses participations à des activités culturelles, sociales ou scientifiques. Il demeurait convaincu que ce mécanisme de survie contribuait à retarder sa chute. Tiendrait-il bien longtemps, encore? Il en doutait de plus en plus. Un étrange pressentiment, auquel il ne voulait donner foi, l'avertissait que ses sempiternelles esquives et reculades prendraient bientôt fin. La marge, dans laquelle il vivait prisonnier de lui-même, s'éclipserait pour ne lui accorder aucune autre alternative que celle de récupérer son ombre.

Sigmund se souvint du jour où il éprouva l'envie irrépressible de parcourir le monde pour enfouir, dans le crépuscule de sa fuite, la circonstance la plus horrible de son existence. Ce matin-là, le cœur résonnant comme un tambour de régiment, il avait saisi le téléphone pour réserver un billet d'avion vers le Canada. De là, il n'aurait eu qu'à prendre des destinations diverses, au rythme de ses choix et fantaisies du moment.

Heureusement, il ne lui fallut qu'une minute d'incertitude et d'hésitation pour que la raison s'impose à lui, l'obligeant à retenir le geste qu'il s'apprêtait à poser. Ce périple improvisé ne l'aurait nullement éloigné de lui-même, puisqu'il s'agissait rien de moins que d'un sauve-qui-peut. Sa liberté, tant convoitée, ne se promenait pas à bord d'un avion ou d'un train, attendu que son aventure revêtait les différents visages de la peur. Tôt ou tard, il aurait à s'attarder et à se confronter au drame qu'il avait sciemment évité d'aborder durant ses années d'analyse. *Tard, beaucoup plus tard*, pensa-t-il, même si ses défenses s'amenuisaient, s'étiolaient. Il ne s'était jamais senti prêt à parler de ce véritable cauchemar.

Dans le quotidien, son incapacité à se libérer de l'évènement traumatique se traduisait par l'absence de rapprochements significatifs avec les autres. Certes, des contacts, il en avait à la tonne, mais des liens, d'authentiques, de profonds, d'intimes, il en possédait très peu. Il préférait la qualité plutôt que la quantité. Même avec les personnes qu'il chérissait, il se gardait une certaine réserve, un espace intérieur où il pouvait se réfugier quand le rapport s'intensifiait trop étroitement ou de manière invasive.

Normal, tenta-t-il de se convaincre. *N'est-ce pas le réflexe normal de tout un chacun ?*

Sigmund n'ignorait pas que sa vie de couple, avec celle qui allait d'abord devenir son épouse, la mère de son enfant, son tourment, puis sa délivrance, au terme d'un divorce houleux, avait été indubitablement marquée du sceau de sa souffrance souterraine, inscrite dans chacune de ses traces mnésiques. Difficile d'imaginer le contraire, même si la facilité le conduisait à rejeter une bonne portion du blâme de son échec marital sur son ex-épouse, sur sa façon d'entrer en relation avec lui et de composer avec la vie. Quoi de plus facile que d'éviter sa part de responsabilité dans ce qui contribua à la faillite de sa relation !

Des réminiscences d'une enfance heureuse remontèrent soudain à sa mémoire. Sa mère, attentionnée, quoiqu'exigeante à l'occasion et son père, sévère, mais d'une grande bonté, lui avaient appris les valeurs de la famille et du respect de même que l'importance d'une pensée droite et d'un cœur loyal. À leurs côtés, il avait développé un caractère fier, fougueux, persévérant, sensible, compatissant, généreux et même futé, ce qui n'empêcha pas sa timidité de croître en parallèle de ses qualités.

À certains moments, il avait aimé l'école, d'autres fois, il l'avait fuie pour ne vivre que *sous le charme naïf de l'école buissonnière,* à l'instar de Balzac. Durant ses moments de grande liberté, il déambulait dans les rues et sur les boulevards, mains dans les poches, un brin de paille entre les dents, les yeux grands ouverts sur les attraits de la ville. Que n'eût-il donné, dans ce moment privilégié, pour entrer illico dans le monde des adultes ?

En amour, il s'avérait un homme quelque peu jaloux, possessif, réservé, sérieux et d'une grande tendresse. L'honnêteté coulait dans ses veines. Et même si, parfois, le jardin de l'autre semblait intéressant, il ne traversait jamais les frontières établies. Le concept d'infidélité ne l'attirait pas dans son actualisation ni maintenant ni plus tard. Bien sûr, lorsque sa relation avec son ex-épouse déclina et se solidifia en un mur d'incompréhensions, que leurs amarres se rompirent et qu'une guerre sans issue les stigmatisa dans des reproches silencieux ou bruyants, il se mit à songer régulièrement à cette dame, rencontrée lors d'un séminaire, dont l'intelligence du cœur et la beauté de l'être avaient allumé en lui une petite flamme, toute discrète, mais non moins puissante, donnant vie à un espoir secret. D'ailleurs, n'avait-il pas saisi une certaine réciprocité dans son regard?

Pour l'instant, il préférait ne pas précipiter les évènements et rechercher tout simplement les périodes de solitude, car ses travaux scientifiques, ses conférences ainsi que ses rencontres avec ses pairs et ses patients occupaient beaucoup de son temps. Lorsque des occasions de répit surgissaient dans son quotidien, il s'y abandonnait avec soulagement, ce qui lui permettait d'approfondir sa vie intérieure. Et puis, il avait une magnifique fille, Sarah…

Le week-end prochain, elle fêterait son seizième anniversaire. Son rôle de père, il l'assumait au mieux de ses connaissances et de sa sensibilité. Il avait traversé les difficultés avec honnêteté et festoyé avec allégresse lors des grands moments de son existence. L'idée d'être un père absent n'avait jamais effleuré son esprit, même s'il comprenait que certains hommes puissent être partagés entre leur métier, leurs obligations et leur famille.

Sigmund ne se considérait pas pour autant un père sans failles. À maintes reprises, il avait dû canaliser ses forces et sa créativité pour combler ses lacunes. Combien de fois les sueurs de l'angoisse avaient-elles coulé sur ses inquiétudes? Souvent. Très souvent. Heureusement, malgré les nombreux aléas, Sarah grandissait, solide et heureuse, tout en étant consciente d'être privilégiée dans ce monde difficile pour bien d'autres adolescents.

Aujourd'hui, la résultante de sa présence honnête et constante aux côtés de sa fille n'était rien de moins qu'une magnifique étincelle de certitude qu'il voyait briller dans ses yeux, étincelle qui, graduellement, deviendrait une flamme sur son chemin de vie.

Sigmund repoussa ses pensées dans un coin de son esprit. Le cœur battant, il descendit les marches vers son cabinet. Il aperçut Œdipe qui l'attendait patiemment près de l'escalier.

« Bonjour. Vous pouvez entrer dans mon bureau et vous instal...

– Oui, oui, ça va. Je sais. »

Tiens, tiens! se dit Sigmund. *Mon patient est grognon aujourd'hui.*

À peine installé sur le divan, Œdipe, complètement crispé et au contraire de ses habitudes, ouvrit les valves à un flot inaccoutumé de paroles agitées. Un déluge verbal inonda le psychanalyste.

« J'aimerais vous parler de la *Faucheuse*, cette mort qui a volé le fils de votre domestique. D'accord?

– Bien sûr.

– Eh bien, malgré le temps qui passe, j'éprouve toujours un sentiment de malaise profond lié à sa disparition. Comment ne pas relier cette perte à la condition précaire de chacun de nous sur la planète? Maudite est cette fatalité implacable qui retient, par un crin de cheval, son épée de Damoclès au-dessus de nos têtes, pour nous transpercer au moment lui seyant le mieux!

« Pourquoi devons-nous mourir? À qui et à quoi aura servi notre passage sur terre? Qu'emportons-nous dans nos bagages vers l'au-delà? Où allons-nous? Et surtout, dans ce nouveau lieu, s'il en existe véritablement un, serons-nous encore confrontés à un destin sans possibilité de le contourner ou de mettre en échec sa prédestination? Si tel est le cas, je déclare forfait. Pas question de répéter la même rengaine ailleurs. Je préfère dériver dans le néant éternel. Et soyez certain qu'avant de remettre les clefs au propriétaire et partir vers une autre vie, j'exigerai un contrat en bonne et due forme.

« Personnellement, je n'ai guère l'intention de sortir de scène dans un état calamiteux ni dans la mendicité la plus totale. Je sais très bien qu'en défiant cette prophétie qui m'est dévolue, le tapis rouge du fatum cherchera par tous les moyens à se dérouler devant ma vie, s'assurant que l'oracle a bel et bien été accompli.

« Je m'opposerai à sa réussite avec détermination et fougue même si l'envie de baisser les bras me taraude par moments. Cette malédiction se fout de moi et de mon désir de vivre une existence heureuse. Je re-fu-se d'endosser ses finalités. À quoi sert de rêver si le vent de la concrétisation décline et meurt à la ligne de départ ou en pleine course ? À qui profitera l'imaginaire si son souffle ne permet pas de sonder l'impossible et de le rendre réel ?

« Ça ne me dérange pas de paraître ridicule à vos yeux. Pour peu que vous croyiez que je dors d'un sommeil tranquille, je vous surprendrai par ma ténacité et ma capacité de rebondir devant l'adversité. Je ne roupille pas, je mijote une stratégie pour donner un coup de pied à ma pierre d'achoppement et l'envoyer rouler dans le néant. Car, aussi bien vous le dire, d'ici peu, je prendrai la plume pour réécrire ma vie et je n'ai pas l'intention qu'elle manque d'encre ou d'imagination pour me fournir une fin légère, aérée, loin du tragique accomplissement de ma destinée et de l'enfoncement dans le bois sacré de l'indifférence.

« Je pense que la meilleure façon de mettre un terme à cette prophétie de malheur est de couper le fil conducteur, le cordon ombilical menant à ma perte. J'en ai marre de servir les vues de l'auteur de mes jours, d'endosser son œuvre dramatique, de vivre dans son sillon et ses répétitions ne représentant ni plus ni moins que les échos de ses peurs et questionnements. Et vous pouvez interpréter le mot *auteur* comme bon vous semble. La mère ne possède pas, seule, la prérogative d'écrire nos premières lignes.

« Je vous l'assure, il est faux de croire que l'acceptation de mon destin préétabli et malheureux fera de moi un homme grandi, plus sage et d'humeur égale. En quoi la sagesse peut-elle tirer gloriole de la résignation ? Je ne souscrirai pas à cette triste perspective ! De toute manière, qu'est-ce que la sagesse, je vous le demande ? La maturité d'une personne ? Une compréhension suprême de la vie ? Le simple courage durant la traversée des obstacles ? L'éloignement progressif des *comment* et *pourquoi* du mental ? L'adoption d'une attitude silencieuse et béate devant ce qui *est*, beau ou laid ? La découverte que l'être humain possède à peine deux fois plus de génomes que la mouche — deux de ses insectes dans une même pièce et nous avons le compte ? À moins de nous être tous fourvoyés et que, réflexion faite, la sagesse ultime consiste à aller boire une *Piña Colada* sur une plage de l'Amérique du Sud, quand le froid s'insinue jusque dans notre moelle épinière, sans lâcher prise.

« Quoi qu'il en soit, une sagesse n'est-elle pas une sagesse, peu importe la souche d'où elle tire son origine ? En ce qui me concerne, elle n'a rien d'un tissu neutre, unique, sans plis ni couleur. Votre sagesse et la mienne… Pfft ! Complètement différente ! La vôtre s'agrippe au possible et la mienne, à l'impossible. Alors ? Êtes-vous plus sage que moi ? Ou moi, plus que fou… Euh… lapsus ! Je voulais dire: *Ou moi, plus que vous ?* Révélateur, n'est-ce pas ?

« Malheureusement, en ce qui me concerne, à l'heure où je vous parle et si rien ne change dans ma vie, les seules sapiences que je pourrai voir briller dans mon existence seront tributaires de la capitulation et du renoncement. Ce ne sont pas les assises que je désire établir pour mon avenir et mon épanouissement. Loin, très loin de moi l'idée de devenir un sage, un genre de philosophe tronqué de son essence dont, plus tard, on pourra lire les exploits malheureux… déjà écrits. Je veux simplement retrouver mon libre arbitre, conjurer le sort... »

Déjà écrits? De quoi parle-t-il? songea Sigmund. *Il doit sûrement faire référence à tous ceux et celles qui retrouvent un peu d'eux-mêmes à travers des personnages de livres. Une seule et simple vie ne s'imprime-t-elle pas en milliard d'exemplaires similaires, la parenté d'expériences humaines ne différant que dans la forme?*

« … Parlant de philosophe, permettez-moi de revenir à cette toile de Rembrandt par le biais de laquelle je vous ai lancé mes rognures et décombres lors de notre dernière rencontre. »

Plutôt des éléments de souvenirs revenant par bribes et morceaux symboliques; fragments d'un passé refoulé, rectifia Sigmund intérieurement.

« Je… je… »

Œdipe fut incapable d'avancer plus loin sur le sentier des mots. Chaque muscle de son visage se contractait sous l'effet d'une peur subite. Lui, qui éprouvait une aversion profonde pour les silences du psychanalyste et qui l'avait littéralement enseveli de paroles depuis le début de la consultation, demeurait, désormais, prisonnier d'un mutisme poignant.

« Je suis assis sur la première marche et je suis toujours invisible, déclara-t-il finalement, la voix éteinte, hésitante. Je saigne…

– Vous saignez?

– Oui. Mes pieds versent les larmes que mes yeux et mon cœur ne peuvent libérer. Ils cherchent à me rappeler cette époque lointaine où ma douleur ne trouvait d'expression que dans une sorte de défluviation, un changement du lit de ma souffrance. Pourtant, peu importe la nouvelle voie empruntée, ma blessure est toujours là, elle ne me quitte jamais.

« Croyez-moi, les visions qui rejouent sans cesse sur mon écran intérieur ne surgissent pas dans mon esprit par hasard. Les images du bébé dans un taillis, au sein d'une montagne, expriment cette part de moi qui ne désire pas oublier l'abandon dont elle a été victime, alors que consciemment je tente d'en perdre le souvenir. Ces visions se manifestent à la faveur de mes oisivetés mentales ou de mes retraits en moi-même, pour me démontrer que la désertion de mes parents ne fut pas sans conséquence, autant physique que psychologique. *Pas besoin d'insister !*, aurais-je parfois envie de dire à ces occurrences. Impossible d'ignorer ce pan de ma vie, en grande partie responsable du désastre à venir. »

Un silence appuya ses derniers mots. Au prix de ce qui sembla un immense effort, Œdipe reprit d'un ton plus bas :

« De cette époque révolue, dont ma mémoire ramène quelquefois des souvenirs, ou plutôt, des impressions, je ne garde que des marques indélébiles, pourtant fort visibles pour qui sait voir. Mes pieds sont frappés du sceau de l'opprobre. Je ne peux avancer sans que mon passé avance avec moi. Et comme il est lourd à porter, je n'avance plus. Je rampe. Comme un reptile. Et quand je n'en peux plus, je stagne. Je l'ai déjà dit.

« Sigmund, je dois élucider mon énigme personnelle, déverrouiller les portes de ma cité intérieure. Mais, comment pourrais-je foncer vers ma délivrance si, en même temps, je cours à ma perte ? Je suis coincé présentement. »

Sa voix se brisa. Œdipe semblait progresser vers un couloir de plus en plus sombre. Peut-être se levait-il et se tournait-il vers les fameuses marches de l'escalier, de la toile de Rembrandt, pour entreprendre leur ascension, une à la fois.

Avec des inflexions rauques, il reprit :

« Je suis responsable de ma ville comme le *Petit Prince* de Saint-Exupéry le fut pour sa rose. Je dois trouver le moyen de me détourner de la route étroite qu'est la mienne pour découvrir celle qui me conduira vers une nouvelle naissance, un destin renouvelé. Mais, que puis-je faire quand la fatalité m'attend de tous bords, tous côtés ?

« Si j'écoute la voix de la prédestination, je suis perdu. Si je choisis la voie de l'évitement ou de la défiance, je suis également fichu, attendu que le destin s'organisera pour me démontrer son autorité et son plein pouvoir en orchestrant les évènements de manière à ce que sa finalité s'exécute envers et contre tous, envers et contre moi.

« Cependant, si je réussis à dévier le destin, qu'est-ce qui me certifie que cette dérivation ne constituera pas, en fait, une composante de ma destinée propre ? Comment savoir si, des années plus tard, ayant éloigné mon œil vigilant de son déroulement, me croyant libre et affranchi, je ne me retrouverai pas devant l'inévitable que je m'efforçais tant de fuir ? Existe-t-il une échappatoire à l'intangible fatalité qui précède chacun de mes pas et gestes ?

« Sigmund, qu'est-ce que je n'ai pas compris, dites-moi ?

– …

– Présentement, le seul moyen de m'extirper de cette situation incongrue demeure un éloignement radical des sentiers battus. Je dois réécrire mon histoire en partant du début ou bien à la croisée d'un chemin, juste avant que le drame ne déroule davantage ses torsades.

« Laborieux et complexe, n'est-ce pas ? Pourtant, mon esprit torturé n'aura de repos que le jour où il aura atteint son objectif et où mon quotidien ne comportera plus une suite d'évènements destinés à sceller ma vie. Je dois trouver cet embranchement, sinon à quoi me servirait de poursuivre ma quête ?

« Au cours de cette révolution intérieure, j'espère dénicher une plume qui ne coule pas, qui ne verse pas dans la catastrophe ni le tragique. Une plume légère, élégante, efficace. Une plume qui se désaltère à l'encrier d'un écrivain doué pour les bonheurs paisibles ; petits enchantements de soirs d'été à la campagne incluant étoiles filantes dans le ciel, brises vagabondes, lac endormi et grillons stridulants dans les herbes sauvages.

« Croyez-moi, je vais me rendre jusqu'à la limite du possible pour faire échouer l'oracle. Parvenu à ce point, si rien n'a évolué de manière tangible, je viserai l'impossible ; là où la plupart des gens s'arrêtent et rebroussent chemin, là où le plus grand défi s'érige en une sorte de Kilimandjaro infranchissable. Je ferai l'ascension de mon sommet intérieur le plus élevé, même si je dois manquer d'oxygène à la ligne d'arrivée. Je ne le souhaite pas. Les plus beaux paysages, qui s'offrent enfin à nous, ne doivent-ils pas se regarder avec un éclat dans le regard, une gaieté au cœur et plein d'air dans les poumons ?

« De toute façon, je ne veux pas attendre de marcher jusqu'au soir de ma vie — ma canne soutenant ma disgrâce — pour m'apercevoir qu'en affrontant la monstrueuse adversité, j'ai activé plus à fond les rouages du destin. »

Son silence fut si soudain qu'il sembla surgir d'une boîte à surprise. Au bout d'un moment, Œdipe se leva brusquement et arpenta le bureau avant de s'étendre de nouveau sur le divan, le souffle court.

« Sigmund !

– Oui, Œdipe. »

Il effectua une pause avant d'ajouter d'une voix sinistre :

« Oh misère ! Je suis l'énigme de moi-même... Je suis l'homme, le fils de la mère, celle que je dois combattre pour ne pas qu'elle m'étrangle...

– ...

– Malheureusement, en exterminant cet autre sur ma route, c'est moi qui perdrai mon chant et mon sang ; l'encre de ma vie. Certes, je continuerai d'exister, mais sous la forme la plus vile et ingrate qui soit sur cette terre, pour un être humain, celle d'un mendiant aveugle, le regard tourné en lui-même, à la recherche d'une sagesse obligatoire qui adoucirait les contours de son obscurité. »

Œdipe démontrait des signes d'une grande nervosité.

« Je me sens seul sur cette marche d'escalier. Le sang coule toujours. Que puis-je faire pour le stopper ?

– Que représente le sang pour vous ? » demanda Sigmund, conscient que son intervention pouvait comporter une significa-tion capitale pour son patient, même si elle détenait le pouvoir d'influencer le cours de sa pensée.

Œdipe tourna sa tête vers Sigmund et l'observa comme s'il cherchait une réponse quelconque sur son visage, puis la ramena droit sur le coussin.

« Le sang représente mes origines. Mon cordon ombilical n'a pas été mal sectionné, mes parents l'ont carrément tiré à hue et à dia avec une brusquerie sans égal. Le sang dans mes veines se compose de la colère de ma mère, répandue en gouttes amères dans ma substance vitale durant la fécondation, sa grossesse et lors de mes premiers jours. Mon sang est également infesté du mépris de mon père, celui biologique, bien sûr. Je me demande pourquoi, malgré les obstacles de départ, mes parents n'ont pu développer des fibres, de toutes petites fibres maternelles et paternelles envers moi ?

« Lautréamont, dans *Les Chants de Maldoror,* déclare avec cynisme: *Je suis fils de l'homme et de la femme, d'après ce qu'on m'a dit. Ça m'étonne… Je croyais être davantage.* »

Un reste d'enfant triste fit trembler sa lèvre inférieure.

« Dites quelque chose, s'il vous plaît…

– Vous mentionnez que le sang représente vos origines et que vos pieds saignent. Pourquoi les pieds ? hasarda Sigmund.

– Mes pieds expriment l'enracinement. Mes parents ont attaqué et brisé mes racines. Elles saignent abondamment. En me reniant, ils ont créé un abîme en moi qui, chaque jour, s'approfondit dans l'incompréhension et la peur de l'avenir.

« À l'heure actuelle, quand je pense à l'oracle et ses préméditations, je me demande si le destin est une affaire de Dieu ou des hommes. Je préférerais la mort plutôt que le remords d'avoir accompli des gestes répréhensibles. Mais, peut-on déterminer à l'avance où la souffrance conduira un individu ? Comment se construiront et se déconstruiront les liens ? »

Œdipe se tut quelques instants avant de mentionner :

« Je crois qu'il n'existe pas un seul être humain sur notre petit vaisseau spatial qui n'a pas été blessé et fragilisé dans son être profond. Nous sommes toutes des personnes névrosées et nous voyageons dans nos ciels de nuit, à la recherche d'éclaircies libératrices. Nous portons une brisure psychologique et traînons en secret — secret de polichinelle bien sûr — notre *Horla*, cette ombre perverse et négative, dont Maupassant a glissé subtilement, dans notre esprit, l'idée de sa présence agissante. Évidemment, nous refusons d'admettre l'impact plus ou moins grand de cette ombre sur notre vie. Pourtant, nos liens, ébauchés à partir de nos noirceurs, sont nocifs. Ils le sont du simple fait de la rencontre avec d'autres ombres. Au bout d'un moment, ces dernières finissent par se renforcer ou se détruire mutuellement... »

À moins qu'elles n'incitent à la guérison... ajouta Sigmund intérieurement.

« L'ombre d'Œdipe a rencontré celle de sa mère, Jocaste... Quel résultat ! Quel lien ! »

Le psychanalyste sursauta. Son patient faisait une référence directe à la tragédie de Sophocle.

« J'ai fait le choix de n'avoir aucune attache. Je suis à l'opposé de ceux qui en veulent. Le lien, implicitement, conduit toujours à un aboutissement malheureux, même sous ses airs d'amour et de tendresse.

« En fait, créer des liens ne signifie pas grand-chose. Il s'agit d'un *je-me-moi* exubérant, la trinité de l'égoïsme qui tente de combler ses manques à travers l'autre. L'amorce d'un lien se présente sous des abords naturels, mais dans les faits, il représente un troc : *sois gentil avec moi et je t'aimerai. Ne sois pas attentionné, dévoué et diligent avec moi et je n'établirai aucune attache avec toi, sinon celles de la haine, de l'indifférence, du rejet ou du mépris, bref, de la peur.*

« La plupart du temps, un lien se construit à notre insu. Cependant, à partir du moment où je le vois s'installer dans mes relations, j'ai le droit et l'unique privilège de choisir si je lui laisse l'espace pour se dilater ou si je m'en éloigne comme de la peste. Je ne vais tout de même pas tomber dans le piège de l'Oracle...

« En résumé, je ne désire pas de lien avec quiconque à la ronde, pas même avec cette dame rencontrée dans le métro et ce hors-la-loi fréquentant les rues. D'ailleurs, je me demande pourquoi je vous fais confiance, Sigmund. Qu'un lien aussi minime soit-il s'établisse entre nous et, tôt ou tard, vous saurez adroitement le briser sans égard à mes émotions. À quoi aura-t-il servi, alors ? Dès que le lien n'est plus utile, il est balancé à la mer comme un poisson sans valeur. Mais le poisson, lui, est blessé. Survivra-t-il à l'entaille, à la déchirure dont on ne peut connaître la profondeur et la conjugaison possible avec des blessures plus anciennes ? »

Sigmund songea que son patient éprouvait un problème majeur avec les liens, l'attachement, le rapport à l'autre... Dans son processus de dévalorisation personnelle, il évitait soigneusement les abandons réels ou imaginaires pour ne pas vivre les souffrances qui s'ensuivaient.

« Œdipe, le lien cessera-t-il d'exister même si vous ne le voulez pas ? s'enquit-il.

– Vous ne pouvez pas me comprendre. Vous êtes assis sur la chaise du savoir et, moi, j'occupe celle de la bêtise. Entre les deux réside une distance gigantesque. Un immense fossé.

« Et puis là, j'y pense, pourquoi ne prendriez-vous pas vous-même le temps de regarder la peinture du *Philosophe en méditation* ? VRAIMENT. Non pas pour y jeter un regard furtif, mais attentif. Tout est une question d'angle et de traitement de l'information. Vous saisirez peut-être ce que je ressens à l'heure actuelle. Je ne suis pas devin, mais je peux vous certifier que le problème des liens n'est guéri chez personne. Il est masqué, gommé, occulté... »

Œdipe s'agita. Sans attendre la fin de sa séance, il se leva d'un bond et partit, bouleversé.

Sigmund fut surpris de cette vive réaction. Il resta dans le cabinet de consultation, préférant être présent advenant le retour d'Œdipe.

Il ne revint pas...

7

Le cœur de Sigmund battait dans sa poitrine telle une vieille horloge grand-père troquant son battement fort et harmonieux contre un mouvement faible et discordant. Vieillissait-il trop vite ou une angoisse nébuleuse prenait-elle en otage son rythme cardiaque ?

Le psychanalyste quitta son bureau de consultation, grimpa les escaliers en quatrième vitesse, mettant à l'épreuve ses pulsations, et se dirigea vers la bibliothèque, son lieu de prédilection pour se reposer après une rude journée.

Il se planta devant la section « œuvres littéraires » et fouilla les rayons à la recherche de l'ouvrage de Sophocle, *Œdipe-Roi*. Il ne le trouva pas. Diantre ! Où avait-il fichu ce bouquin ? Pourtant, il se rappelait l'avoir remis à cet endroit après sa dernière lecture. Avait-il été dérobé ou perdu dans un restaurant, lors d'une de ses pauses thé-lecture ?

Relire pour la énième fois cette œuvre de Sophocle lui aurait peut-être permis de déceler les indices, les pièces manquantes du puzzle que lui présentait son patient Œdipe.

Soudain, ses yeux croisèrent, sur une autre étagère, un vieux livre portant sur la vie et l'œuvre de Rembrandt. Il le prit, se souvenant de l'invitation d'Œdipe à regarder la toile du *Philosophe en méditation*. « Tout est une question d'angle et de traitement de l'information. Peut-être comprendrez-vous ce que je ressens à l'heure actuelle », avait-il mentionné, avant de prendre la poudre d'escampette.

Sigmund s'installa sur son divan, alluma sa lampe qui, aussitôt, saisit le plafond d'un dessin circulaire lumineux digne des saintes auréoles. Il ouvrit le livre endommagé et terni par les outrages du temps, se demandant ce qu'il souhaitait véritablement: une compréhension des souffrances de son patient ou renouer avec la beauté de l'œuvre en glissant son regard sur elle, sans attendre de révélations, de confirmations ou d'infirmations.

Ses doigts tournèrent les pages jaunies et racornies jusqu'au moment de voir surgir la toile qui fascinait tant Œdipe.

Sigmund fut émerveillé par sa sobriété mystérieuse. Quelle puissance d'évocation émanait de la scène, quel silence profond et quel appel à l'intériorité l'œuvre inspirait à l'âme ! Un imaginaire sans brides pouvait voyager sur ses teintes, ses courbes, ses profondeurs, façonnant autant d'histoires qu'il le voulait sur des arrière-plans de vérité personnelle. Ces extrapolations fantaisistes savaient aussi se retirer dans la tanière de l'immobilité pour laisser le contenu de la toile se dévoiler, apparaître sans l'effervescence du mental, les jugements ou les qualificatifs de nature dénigrante ou dithyrambique.

Les yeux de Sigmund parcoururent lentement le tableau, s'arrêtant ici et là, capturant un détail, une couleur, une expression, une ligne, un mouvement. Il éloignait le livre, le rapprochait, appréciant une vue d'ensemble, une perspective différente de la peinture, accueillant avec bonheur la bouffée de poésie mystérieuse qui venait secouer doucement ses émotions et ses sentiments. Il poursuivit son exploration visuelle, cette fois, en superposant les éléments symboliques soulevés par Œdipe durant ses consultations. Avec peu d'efforts, ce qui le surprit, il visualisa son patient assis sur la première marche, une petite mare de sang à ses pieds, le dos tourné à ce convoi ferroviaire qui, disait-il, s'élevait vers l'inconscient. Sous le regard étonné du psychanalyste, une toile transformée apparut devant lui, composée davantage de douleurs et de chaos que de paix et d'harmonie.

Durant de longues minutes, Sigmund se laissa toucher par la souffrance d'Œdipe, révélée par une observation différente des nuages de peinture étalés sur la toile. Une tristesse mouilla ses yeux, oppressa sa poitrine. *Les émotions de l'un favorisent l'émergence de celles des autres,* pensa-t-il.

Ses yeux, sans raison apparente, se mirent à fixer la lumière jaune s'infiltrant par les carreaux de la fenêtre. Les battements de son cœur accélérèrent leur rythme. Une sueur moite humidifia son front. Que se passait-il? Pourquoi cette clarté ambrée provoquait-elle une réaction inexplicable en lui?

Il le pressentait dans toutes les fibres de son corps, son vieux cauchemar s'approchait des rives de sa conscience. Trop près. Trop proche.

Sigmund ferma le livre avec rudesse, se leva et arpenta nerveusement la pièce. Non. Il ne redonnerait pas vie à cette époque révolue. Il avait souffert à en mourir et refusait de voir renaître ce qui, un jour, avait fracassé son être entier. Des années s'étaient écoulées depuis le moment fatidique où son inconséquence avait brisé irrévocablement un lien d'amitié. Depuis, il vivait une détention à perpétuité, une réclusion forcée en lui-même. Jamais il ne survolerait de nouveau cette zone de fortes turbulences, même s'il savait fort bien, en tant que psychanalyste, qu'il s'agissait là du seul moyen de recouvrer sa liberté.

Pour Sigmund, la question ne consistait pas tant à savoir s'il pouvait se libérer de sa prison, mais plutôt s'il le désirait.

Il ne le désirait pas.

À la façon d'Œdipe, il se retrouvait piégé: des barrières étanches et solides se dressaient autour de lui tel un mur infranchissable. Étrangement, il n'entrevoyait aucune issue à sa situation alors qu'il espérait que son patient en trouve une pour lui-même.

La tragédie de son enfance, il ne voulait ni la regarder, la confronter ou l'exposer aux oreilles de quiconque, sinon, il aurait à vivre avec la honte et la culpabilité, cette fois, mises à jour dans toute leur ampleur. De toute façon, il ne pouvait rien changer à l'évènement. Chapitre clos.

Sigmund sentit une buée humidifier ses yeux. Dans son esprit, la chaussée décrivait des virages étroits. Une brume épaisse se levait, un vent, une tempête…

Et si le moment était venu d'abattre les murs de résistances et de libérer le drame de sa prison, songea-t-il, nerveux. *Je pourrais écrire l'incident. Les mots ne représentent-ils pas une partie importante de la guérison? Une psychanalyse par l'écriture…*

Impossible. Il se fait tard. Ma clinique débute tôt demain matin…

Était-ce par esprit de contradiction ou tout simplement en réponse à un appel évoluant au-delà de la raison? Sigmund se rassit et rouvrit le livre à la page de l'illustration du *Philosophe* de Rembrandt. Cette peinture ne détenait en rien le pouvoir de l'amener dans les recoins de son être où croupissaient, en catimini et depuis des lunes, ses blessures — d'une part, assez mûres pour l'exposition, mais, d'autre part, trop mûres pour être accueillies sans heurter de nouveau son être de plein fouet. La toile, en réalité, ne constituait qu'un prétexte, qu'un catalyseur pour déclencher des associations inconscientes.

Laisse-toi submerger, envahir. Vas-y Sigmund… fais-le pour toi.

Non, je ne le peux pas.

Oui, tu le peux. Commence. Doucement. Si l'émotion devient trop intense, arrête. Permets-toi cette délivrance. Le moment est venu, je crois...

Avec une anxiété extrême, Sigmund se tourna vers le souvenir, vers cet été où des vacances s'annonçaient fort prometteuses. Pourtant, combien de fois, par la suite, avait-il désiré effacer à tout jamais, de sa mémoire, les traces de cette saison estivale?

Le psychanalyste passa une main nerveuse dans sa chevelure. Sa respiration s'accéléra, des bouffées de chaleur inondèrent son corps. La lumière s'infiltrant par la fenêtre, dans la toile de Rembrandt, l'attirait comme un aimant. Soudain, le film de son expérience traumatique commença à se dérouler sur son écran mental.

C'était le début de juillet 1970 et la température atteignait les vingt-trois degrés Celsius. Le ciel de Londres, libéré des nuages qui la couvaient depuis la mi-juin, offrait une aurore radieuse et surtout inspirante pour les vacanciers.

Sigmund adorait les excursions en canot, en chaloupe, en canoë-kayak, bref, tout ce qui l'amenait à voguer sur la Mer du Nord. Ce matin-là, aux premières lueurs, ses yeux s'ouvrirent sur la journée qui concrétiserait enfin son rêve de jeunesse: une expédition de deux semaines en haute mer, sur un voilier de vingt-six pieds, avec son camarade de classe, Andrew. Le bateau serait dirigé par le père de son ami, un marin expérimenté à la carrure imposante et au verbe austère, mais sachant fort bien dérider la tribune quand l'atmosphère devenait trop pesante.

La mère d'Andrew ne participerait pas à cette expédition, se trouvant au chevet de sa sœur malade. Quant à lui, il serait le seul de son clan à prendre part à ce périple, sa famille ayant gentiment décliné l'invitation, prétextant quelques travaux urgents, alors qu'ils avaient tout simplement le mal de mer et n'osaient l'avouer à la ronde.

« Va, Sigmund ! Amuse-toi ! » lui avaient-ils lancé juste avant son départ.

Ce matin-là, lorsqu'il ouvrit la porte de la maison, son sac de voyage en main, la lumière de l'aube vint à sa rencontre et s'étala dans le portique comme si elle en prenait possession. Il sourit.

La lumière de l'aube… Voilà le rappel de la peinture de Rembrandt, pensa Sigmund.

Andrew, le sourire vissé aux lèvres, attendait Sigmund près de la voiture de son père, Phillip, qui en astiquait le pare-chocs pour passer le temps.

Son fils n'avait rien du garçon costaud. D'allure fluette, mesurant cinq pieds et deux pouces, il en imposait non pas par son physique, mais par son sens de l'humour britannique inégalé. Ses yeux de jais attiraient l'attention tout autant que la vivacité et la joie de vivre qui en émanaient. Ce jour-là, sa tête brune aux reflets auburn était recouverte d'une casquette des Manchester United, équipe de footballeurs qu'il admirait jusqu'à l'obsession. Des affiches de chacun des joueurs tapissaient les quatre murs de sa chambre et un ballon, signé par tous ses membres, trônait sur son bureau. Ce souvenir valait un million pour lui et il ne s'en départirait même pas contre un baiser de Philomène, la jolie brunette de la classe des surdoués, pour qui son cœur palpitait d'espoir.

Andrew n'avait que quatorze ans et demi et, déjà, bien des filles tournaient autour de lui… sauf Philomène. Il était beau, vigoureux d'esprit et sa peau vermeille irradiait la santé. Son seul défaut : le manque d'initiative. Sigmund devait toujours le pousser pour qu'il avance d'un mètre et le mètre atteint, il fallait le pousser de nouveau.

Sigmund s'avérait tout le contraire de son copain. Il était grand, les cheveux châtains en désordre et les yeux aigue-marine.

Il possédait un caractère impétueux et déterminé, allant au-devant de la vie comme si elle ne se déroulait jamais assez vite à son goût. Il aimait rire et comprendre le pourquoi des choses. Sa timidité lui avait valu quelques difficultés en classe, même si, les cours terminés, il se retrouvait sans cesse entouré de quelques camarades, dont ce cher Andrew.

Réalisant qu'ils demeuraient à quelques rues l'un de l'autre, l'amitié fleurit entre eux au rythme de leurs rencontres et complicités de jeu. Cet été-là, ils partiraient pour la première fois ensemble. Que d'aventures exaltantes en perspective sur la vaste mer!

Le trajet de quatre-vingt-quinze kilomètres jusqu'à la marina Bradwell-on-Sea, dura une éternité. Puisque les garçons connaissaient imparfaitement les rudiments de navigation en voilier, les deux heures de route servirent à une récapitulation des notions de base enseignées par Phillip pendant les sept samedis précédant leur départ: l'accastillage, la voile, le gréement, la radio-gonio, le moteur, les réglages, les manœuvres, le mouillage, la sécurité, la marée et la météorologie. Pour le reste, ils l'apprendraient sur le tas, au fur et à mesure de la progression du bateau sur les vagues grises de la Mer du Nord. La seule règle incontournable pour la bonne marche à suivre: ne jamais enfreindre les recommandations du père, le commandant en chef de l'équipage, porter brassière et harnais ainsi que crocher la ligne de vie pour chacun des déplacements sur le pont.

Promesse solennelle! s'étaient écriés à l'unisson les jeunes matelots, avec le plus grand des sérieux, mais, cachant difficilement l'ivresse du départ, qui coulait en abondance dans leurs veines. Leurs rires se répandirent, cristallins, dans le petit matin lumineux.

Après leur arrivée à la marina, ils débarquèrent leurs bagages, les provisions d'eau et les vivres. Ils firent le tour du bateau, autant extérieur qu'intérieur, examinant avec minutie les gréements dormant et courant, le moteur, l'accastillage ainsi que chacune des voiles. Quand les vérifications de sécurité furent terminées, tous trois lancèrent en chœur un « hourra ! » triomphal.

À midi, ils appareillèrent le Sea Fogs, nommé ainsi en l'honneur de Robert Louis Stevenson, le légendaire écrivain britannique, auteur de nombreuses œuvres littéraires, dont son célèbre roman : *L'île au trésor*. Phillip avait particulièrement apprécié son court récit : *Les brumes de la mer ;* un classique dont il ne s'épuisait de relire les mots sertis de beauté.

Le voilier glissa tel un cygne sur l'onde sans rides de la baie et emprunta la voie menant à la Mer du Nord, cette grande étendue d'eau bordant le Royaume-Uni à l'ouest, la France et la Belgique au sud, les Pays-Bas, l'Allemagne, le Danemark, la Suède et la Norvège, à l'est.

Le psychanalyste se surprit à penser que, même durant ses périodes de calme, cette mer en imposait par sa force intérieure, exprimée extérieurement par la légère mouvance de sa houle cheminant vers son but. Personne ne cherchait à entraver son action, mais plutôt à s'ajuster sans cesse à ses fluctuations. Mer épicontinentale de l'Atlantique, d'une beauté sauvage indomptable, elle coulait presque dans les veines de ses marins fidèles, en un flot soyeux, énergique et constant. Il fallait la prendre avec ses travers, la fuir dans ses furies et l'aimer pour ses profondeurs foisonnantes de splendeur et de subtilité.

Pour lui, la Mer du Nord différait subtilement des océans Pacifique et Atlantique, du moins pour l'esprit en quête d'humaniser ces immenses surfaces d'eau salée. Le Pacifique, traversé tous les cinq ans par le courant marin chaud El Niño et à l'occasion son contraire, La Niña, possédait des airs plus hautains, froids, imposants, tout en conservant un charme majestueux indéniable. N'était-il pas le plus grand seigneur océanique de la planète ?

Quant à l'Atlantique, mère bordière qui berçait bien des navires, il portait en son sein, et dans la mémoire d'innombrables gens, le drame poignant du naufrage du paquebot transatlantique britannique: le Titanic. Outre ce tragique accident et malgré la rudesse, parfois, de ses conditions climatiques, l'océan Atlantique accueillait toujours les vaisseaux naviguant sur son étendue, malgré son fort tempérament. Cette immense plaine liquide savait également se montrer clémente et ménager la traversée d'un simple doris non ponté comme celui du pêcheur Alfred Johnson. Son expédition en solitaire débuta à Gloucester aux États-Unis et se termina, cinquante et un jours plus tard, à Liverpool en Grande-Bretagne. À l'exception d'une vague puissante, lors d'une tempête, qui renversa son bateau — redressé au bout de vingt minutes —, son odyssée fut un franc succès.

Après cette échappée de l'esprit, Sigmund retourna au film de l'évènement qui le préoccupait.

La première semaine d'excursion en haute mer se déroula dans un pur enchantement que rien ne sut rompre: vent agréable de quinze nœuds, baignades courtes, mais ruisselantes de joie dans une eau à seize degrés, pêches miraculeuses de cabillauds et de harengs aux termes de journées se voulant sans prise, repas divins en compagnie de couchers de soleil de bronze sur une mer étale, soirées sur le pont, emmitouflés dans de chauds pulls de laine, à raconter des anecdotes savoureuses, scandaleuses ou amusantes, à demeurer silencieux et extasiés devant le ciel saupoudré d'étoiles brillantes, ou encore, à observer tout simplement la surface ondulante se griser des reflets de la lune et s'ouvrir, çà et là, aux dauphins charmeurs et rieurs.

La liberté au gré de la Vie.

Le huitième jour, les conditions atmosphériques changèrent progressivement. Houle et vagues s'accentuèrent. Le souffle prit de l'ampleur, mais pas suffisamment pour déclencher, dans leur esprit, un signal concernant un changement éventuel plus drastique. Aucun bulletin météorologique spécial (B.M.S.), capté à l'aube sur leur radio, n'avait émis d'avis relatif à de forts coups de vent ou à une tempête probable.

Vers trois heures de l'après-midi, Sigmund vit Phillip froncer les sourcils. Lui qui prétendait, avec humour, posséder deux cent cinquante-cinq années d'expérience en mer semblait troublé par le ciel se garnissant d'altocumulus aux teintes menaçantes. D'habitude, son flair aigu ne le trompait pas et l'avertissait de perturbations à venir bien avant que les nuages ne confirment ses anticipations dans le firmament. Toutefois, sur la Mer du Nord, il fallait s'attendre à du gros temps impromptu qui surprenait et stupéfiait même les marins les plus chevronnés. Le climat passait rapidement d'un pôle à un autre, sans avertissement préalable.

Phillip mentionna à l'équipage que, selon ses calculs, une petite crique protégée se situait à trente milles marins, soit à cinq heures de leur position, en filant à une vitesse de six nœuds à l'heure, environ. Le commandant éprouvait une tension crois-sante devant un choix difficile à faire: rallier la terre la plus pro-che quitte à trouver un abri insuffisant en cas de vents forts ou rester au large pour affronter le mauvais temps.

Sigmund, avec son œil vigilant, n'avait rien perdu de l'atti-tude soudain tendue du père d'Andrew. Un sillon se creusa dans son estomac et une angoisse s'y installa, ne cessant de croître au rythme des grains devenant de plus en plus soutenus.

Dans cette région hollandaise de la Mer du Nord, les naviga-teurs craignaient autant la hauteur des vagues que leurs fréquen-ces rapides: les deux combinées pouvant facilement conduire à un désastre. De plus, les vagues hautes et courtes se révélaient plus menaçantes que les vagues hautes et longues. La prudence commandait de diriger le bateau sans délai vers un refuge afin d'éviter la rencontre avec des lames redoutables, car il s'avérait complexe — sur une courte période et sans moyens météo efficaces et sophistiqués à bord — de formuler une hypothèse plausible sur le déplacement de la dépression.

En moins d'une heure, les vents dominants s'investirent d'une fureur noire, prophétique. Le jour sembla s'être écoulé dans un goulot de la mer, ne laissant qu'abîme et ténèbres derrière lui. Les eaux déferlantes frappaient le Sea Fogs sans relâche, démontrant leur suprématie sur le voilier qui accusait de plus en plus souvent des gîtes dangereuses. En raison de la violence accrue des bourrasques, Phillip et Sigmund manœuvrèrent fréquemment pour réduire tour à tour les surfaces de grand-voile et de foc. Finalement, ils ne conservèrent érigé que le tourmentin, petit foc très utile lors de mauvais temps.

Lorsque le vent atteignit une force neuf sur l'Échelle de Beaufort, Andrew, avec l'assentiment de son père, décida de mettre le bateau en fuite. Car, même à la cape sèche, en réglant la vitesse et la direction du Sea Fogs par rapport au vent, les mouvements de roulis et de tangage demeuraient trop prononcés. Il naviguerait aux allures portantes, entraînés par le vent, en essayant tant bien que mal de contrôler le déplacement du voilier afin d'éviter de sancir, de couler proue la première dans les flots. Désormais en navigation de survie, approcher les côtes tenait plutôt du suicide. Il devait braver la tempête tout en maintenant le cap pour ne pas se positionner travers à la lame.

La nuit avait pris possession de toute la clarté environnante. Le cœur tambourinant dans leur poitrine, les trois marins manœuvrèrent le bateau avec dextérité dans cet abîme de vagues écumeuses et fumeuses qui, au bout d'une autre heure, s'élevèrent jusqu'à sept mètres de hauteur. Les matelots, cramponnés à ce qui leur semblait une bien frêle embarcation dans cette tempête infernale, craignaient l'avènement d'une sérieuse avarie.

Soudain, sous la force des rafales, un mât se brisa et tomba avec fracas sur le pont. Sigmund, à ses côtés, lut clairement la panique dans les yeux du père d'Andrew. En une fraction de seconde, il réalisa, pour la première fois de son existence, sa condition de simple mortel. La vie n'avait de certitude que dans l'instant présent. Rien ne pouvait garantir une continuité à quiconque. Rien. Pas même le sentiment de sécurité quant à l'avenir.

Phillip et Sigmund se précipitèrent pour maintenir le mât, dégager les voiles, couper les haubans et éviter que le mât, par ses mouvements, ne transperce la coque. Trempés, frissonnants et inquiets, les marins cherchaient désespérément à assurer leur survie et celle du bateau, balloté en tous sens par de forts coups de vent dans une mer très grosse.

Sigmund tenta de distinguer la silhouette de son ami Andrew à travers les paquets de mer qui s'abattaient sur le pont. Il l'entrevit, à la barre, se débattant lui aussi, contre les éléments.

Préoccupé, il se demanda s'ils allaient échapper au piège se resserrant dangereusement sur eux, ou bien sombrer à tout jamais dans les eaux en furie qui gouvernaient à leur guise le voilier. Mieux valait ne pas penser à cette dernière perspective au risque d'abandonner tous leurs efforts dans les bras de l'impuissance et de la peur.

Le psychanalyste cessa le film du souvenir dans son esprit. Il essuya son front humide d'une main tremblante. Les houles inapaisées, en lui, rendaient encore plus étrange le silence l'entourant dans la bibliothèque, ramenant un malaise identique à celui ressenti à l'époque. Sa respiration devint plus oppressante, sifflante. Il approchait du moment précis où son être serait déchiré par une douleur fulgurante dont l'écho se répercuterait jusqu'à aujourd'hui. Il retourna vers le passé...

Le drame se déroula avec une rapidité foudroyante, le temps n'ayant que faire de la lenteur quand il détenait le pouvoir ultime d'arrêter les secondes d'une personne.

L'écume se répandait désormais en immenses traînées dans le lit du vent. Les autans s'amusaient avec le bateau comme d'un bouchon de liège, emmêlant câbles et poulies, les menaçant à tout instant de chavirement.

Phillip décida de mettre en marche le moteur, puis de sortir sur le pont pour vérifier qu'aucun cordage ne venait entraver la rotation de l'hélice. Aussitôt, il aperçut une drisse traînant dans l'eau suite au démâtage. Il empoigna le mousqueton libre, à l'une des extrémités de la sangle de son harnais, pour l'accrocher rapidement au-delà d'un tangon qui faisait obstacle à son déplacement sur la ligne de vie. Habituellement, il prenait le plus grand soin de le sécuriser sur le point d'accroche, avant de retirer le premier mousqueton. Dans son énervement, avait-il transgressé une loi première de sécurité à bord, surtout au cœur d'une telle tempête ? Sigmund ne le sut jamais. Il se souvint, cependant, de la puissante lame qui s'abattit sur eux avec une force prodigieuse, entraînant le père d'Andrew par-dessus bord.

Sigmund, propulsé au sol, retrouva au plus vite ses esprits et cria à Andrew « *Homme à la mer!* » afin qu'il barre immédiatement sous le vent. Au même instant, il lançait dans le sillage, une bouée et un halin. Le bateau glissait dangereusement sur les eaux démontées, tous feux allumés dans les ténèbres. Au cœur de cette violente perturbation atmosphérique, la manœuvre de barre s'avéra des plus périlleuses.

Sigmund ne pouvait localiser le père de son ami dans cette mer noire. Il l'aperçut seulement lorsqu'une vague le ramena près de la coque. Il se débattait dans l'eau avec la fureur qu'exigent les plus grands combats d'une vie. Mais, la mer l'éloigna aussitôt, le reprenant voracement dans ses vagues. Andrew tenta une approche contre le vent, guidé par Sigmund qui cherchait à ne pas perdre de vue Phillip. Son ciré jaune et son gilet de flottaison rouge permettaient de le discerner de manière très minimale, dans la masse aqueuse et sombre épousant le ciel de suie.

Une lame reconduisit de nouveau Phillip près du Sea Fogs. Il s'agrippa à deux mains au liston tandis que Sigmund, accroché à un cordage, attrapa sa veste à la hauteur de l'épaule.

Le psychanalyste revint subitement au présent. Le souffle haletant, il s'efforça de fuir les images fatidiques qui émergeaient en lui, mais en vain. Le film de l'évènement poursuivait son défilement, désormais au ralenti, comme s'il voulait lui donner le temps de trouver la seconde cruciale où il aurait pu faire autrement, la seconde où il aurait pu changer le sort de cet homme.

Au moment où Sigmund crut pouvoir hisser le naufragé sur le voilier, une vague furieuse vint l'arracher avec violence à sa poigne fatiguée. Phillip disparut dans les eaux de la Mer du Nord.

Sigmund resta là, pétrifié, ne lâchant pas des yeux la mouvante. Puis, il se mit à crier à tue-tête le nom de Phillip, malgré les trombes qui s'abattaient sur lui avec virulence et les tasses d'eau qu'il avalait contre son gré. Il se cramponnait à l'espoir avec le même acharnement que les éléments déchaînés se cramponnaient à leur colère.

Le temps s'égrena à une vitesse dont il ne pouvait supporter la lenteur insoutenable. Chaque seconde écoulée mettait en grave danger la vie du père d'Andrew.

Sigmund continua de scruter la mer, incapable de s'avouer vaincu. Mais, elle ne retourna jamais celui qu'elle avait pris.

La voûte du ciel descendit de plus en plus bas tandis que la mer montait de plus en plus haut…

Complètement exténué par la bataille livrée et anéanti par la disparition de Phillip, Sigmund commença à trembler convulsivement. Ses dents claquaient dans sa bouche et ses muscles se contractaient violemment. S'il ne parvenait pas à s'extirper du précipice vertigineux de peur s'approfondissant en lui, il ne pourrait aider Andrew à diriger le voilier vers un lieu sûr.

Sigmund, toujours en état de choc, tenta de maîtriser son corps grelottant de froid et d'angoisse. Rien n'y fit. Les images de Phillip disparaissant dans la mer prenaient d'assaut son esprit, ne laissant aucune place à la récupération. Au bout de ce qui lui parut une éternité, il réussit à calmer l'effervescence de son mental, mais nullement son cœur qui galopait dans sa poitrine comme un cheval effrayé.

Des heures qui suivirent, Sigmund ne se rappela que du fracas des vagues, du sel brûlant sa peau, ses yeux et sa gorge, du vent qui hurlait sa rage, des craquements du bateau, de la terreur qui glaçait son être et, surtout, du visage de son copain, figé dans l'épouvante, blanc comme l'albâtre, conscient que son père se trouvait quelque part dans la mer grondante, peut-être encore vivant même si tout espoir de le retrouver frôlait la nette improbabilité.

Sigmund aurait voulu abandonner la lutte, ne plus jamais revenir à terre… sur terre.

Il fallut de nombreuses heures d'affrontement sur la mer déchaînée avant que Sigmund et Andrew, dans le silence le plus total et dans un automatisme quasiment aveugle, n'atteignent une rive abritée.

Branle-bas de combat, ambulance, hôpital, puis le vide, le grand vide.

Le psychanalyste se leva d'un coup et arpenta la bibliothèque, en sueur.

L'homme qu'il avait tenté de sauver de la noyade, par un acharnement des plus obstinés, le père de son meilleur ami, avait rendu l'âme, devant lui.

Sa gorge se fit douloureuse. Tout se brouilla. Il étouffa le cri de terreur cherchant à s'échapper de lui. Il se sentait responsable du décès de Phillip et en concevait une culpabilité démesurée, implacable. Allait-il, un jour, se remettre de cette blessure?

Sigmund se dirigea vers le petit tiroir de sa table de travail et en retira un papier plié en quatre, visiblement arraché à un cahier, sur lequel étaient inscrites des paroles importantes que le père d'Andrew lui avait transmises la veille de sa mort, lors d'une discussion sur la vie, pendant que son fils se perdait dans un roupillon. Avant de s'endormir, ce soir-là, il les avait écrites noir sur blanc dans son carnet de bord personnel afin, plus tard, de les apprendre par cœur. Il avait placé ces *mots trésors* — ainsi surnommés pour leur valeur indéniable — à l'abri dans sa couchette, sous son oreiller. À l'hôpital, une infirmière lui avait remis un sac rempli de ses effets personnels dans lequel se trouvait son calepin de notes.

Depuis le terrible accident, les mots de Phillip, pourtant inchangés, se teintaient d'une ironie et d'une amertume que son message de beauté lui-même ne pouvait esquiver. Sigmund déplia la feuille et lut, le cœur serré:

> *Personne ne peut voler une vague à l'océan, mais l'océan peut prendre ta vie en une seule vague. Sois heureux maintenant, car demain ne peut prétendre ni au bonheur ni au malheur. Demain sera. Avec ou sans toi. Agis sur ta vie. Agis. Ne te laisse jamais agir.*

Il avait mal agi. Les gestes esquissés pour tirer Phillip du danger s'étaient avérés mauvais. Et ce demain avait existé, mais sans le père d'Andrew. Depuis, lui-même se laissait agir. Il dérivait sur le dos des années, sans jamais vraiment en faire partie, incapable d'en pénétrer les couches de joie et de plénitude. Il était agité par des courants souterrains inconscients, même si à bien des niveaux dans sa vie il affichait une gaieté n'ayant aucune résonance avec les dérives de son âme.

Les mots de Phillip résonnèrent pendant des années en Sigmund, mais jamais autant que ceux d'Andrew, planté près de son lit d'hôpital, à son réveil, au lendemain du drame. Il répandit le fiel de ses accusations, la douleur au poing, le frappant avec ses paroles d'une dureté impitoyable.

TU AS TUÉ MON PÈRE. Je ne veux plus jamais te revoir. Je te hais maintenant, pour toujours et à jamais. Et si tu n'étais pas étendu sur ce lit d'hôpital, je te montrerais de quel bois je me chauffe.

Sur ces mots acerbes, il abandonna Sigmund, complètement atterré, consterné, brisé. Comment pouvait-il avoir tué son père? La responsabilité de cette noyade ne lui incombait absolument pas! Au contraire, il s'était dévoué corps et âme pour sauver Phillip!

Les paroles d'Andrew pénétrèrent la surface de son mental pour aller se loger dans des peurs irraisonnées. Et là, loin de toute analyse objective, elles commencèrent à faire leur ravage, à semer le doute, à induire des messages ambivalents: *je n'ai pas effectué les bons gestes, je suis vraiment responsable de son décès... Mais non, dans les circonstances, j'ai fait au meilleur de moi-même pour le sortir du pétrin... Faux... par ma faute il est mort... J'aurais dû attraper sa veste au niveau de la manche plutôt qu'à hauteur d'épaule...*

Ce jour-là, une détresse monta en Sigmund telle une éruption de geyser et la honte mordit son être entier. Toute possibilité de vie heureuse, après cet incident funeste et les paroles de son copain, disparut, à ce moment précis, entre les quatre murs blancs de la chambre d'hôpital...

Le psychanalyste ferma le livre de Rembrandt et le déposa sur le sofa, ravalant péniblement ses larmes. *J'ai tué son père. Le père d'Andrew! J'ai perdu mon meilleur ami... Le lien est irrémédiablement coupé...*

Tremblant, il sortit en vitesse de la bibliothèque comme si, ce faisant, il s'éloignait des images qui lapidaient son cœur déjà en lambeaux. Il rencontra Lolita, la salua discrètement et poursuivit son chemin.

« Dr Dorland, vous ne semblez pas dans votre assiette, lança-t-elle par-dessus son épaule.

– Ça va, ça va. Ne vous inquiétez pas. Je vais prendre une bonne douche et me coucher tôt. À demain.

– À demain et dormez comme une marmotte. Ça vous remettra d'aplomb. »

Sigmund se dirigea d'un pas lourd vers sa chambre. Il s'étendit tout habillé sur son lit. Pourquoi n'arrivait-il pas à se départir de sa culpabilité? S'il était son propre patient, il réaliserait rapidement que non seulement il n'avait rien à se reprocher, mais qu'au contraire, il avait effectué tous les gestes possibles, dans les circonstances, pour sauver le père de Phillip. Alors, pourquoi cet acharnement à demeurer dans un lieu intérieur qui ne le servait pas et qui l'angoissait?

Une larme roula sur sa joue...

DEUXIÈME PARTIE

8

❧

*Ooh, life, is bigger... It's bigger than you and you are not me...
The lengths that I will go to, the distance in your eyes... Oh no,
I've said too much... That's me in the corner, that's me in the
spotlight... Trying to keep an eye on you... And I don't know if I
can do it... Like a hurt lost and blinded fool... But that was just a
dream... To Try, Cry, Fly, Try... That was just a dream...*

En cette veille de Noël neigeuse, Œdipe marchait en chanton-
nant une chanson du groupe de rock alternatif américain R.E.M.,
se rappelant de quelques paroles seulement. Il arrêta brusquement ses pas. Au détour d'un trottoir scintillant de milliards
d'étoiles blanches tombées du ciel, à quelques mètres devant lui,
une scène des plus touchantes retenait son attention. Assis sur le
pavé mouillé, près d'une porte cochère, Kevin pleurait recroque-
villé sur lui-même, le visage enfoui dans ses mains rougies par le
froid, une bouteille de gin à peine consommée à ses côtés. À
cette vue misérable, son cœur se tordit d'une sourde douleur, de
celle qui commande de s'attarder, d'entendre ce gémissement
s'élevant au sein de la soirée festive pour la plupart des gens.

Œdipe savait intimement qu'il ne pouvait passer son chemin
devant ce mendiant ravagé, happé en bloc par ses souffrances

intérieures, sans lui adresser le petit salut qui réchauffe l'âme. Il avait encore deux heures à égrener avant son tête-à-tête avec Julia. Depuis leur première rencontre, quelques semaines plus tôt, dans l'Underground, alors qu'ils avaient devisé gentiment sur le réel et le fictif, ils renouvelaient régulièrement l'aventure, éprouvant un véritable plaisir à se trouver en compagnie l'un de l'autre. Ce soir, ils célèbreraient le passage vers Noël, dans la sobriété du restaurant napolitain *Da Mario* sur Gloucester Road : perspective qui le réjouissait au plus haut point.

Œdipe s'approcha doucement du miséreux. Les sanglots étouffés qu'il perçut le chavirèrent. Sous sa cuirasse de dur à cuir, cet homme souffrait de maux sûrement bien plus terribles que ceux liés à la boisson. Le clochard dut l'entendre venir, car il leva la tête, essuya ses yeux avec une rapidité déconcertante et épongea son nez avec la manche de son chandail en loques. Il devait être frigorifié, mais il n'allait certainement pas lui mentionner cette évidence. Il avait appris sa leçon.

« Tiens donc ! lança Kevin. Qui vois-je arriver ? Monsieur carnaval en personne ! Un jour, je l'espère, vous… vous me direz pourquoi vous choisissez de porter un… un habillement aussi étrange et ri… ridicule sous… sous votre manteau que, d'ailleurs, vous… vous devriez attacher pour ne pas vous congeler jusque… dans… dans l'ADN. »

Dès les premières paroles de Kevin, Œdipe réalisa que, malgré sa souffrance, il n'avait aucunement perdu de son mordant. Se doutait-il qu'il avait été témoin de sa détresse ? Voulait-il, par son attitude cynique, l'éloigner de toute forme de pitié à son égard ?

Le mendiant frigorifié souffrait d'un manque vital de chaleur et, malgré ce fait, il manifestait encore une sensibilité à l'autre. Probablement un réflexe chez lui, même s'il se teintait d'indélicatesse.

Œdipe observa Kevin. Ses mains bleuissaient et son nez en chou-fleur rougissait en plus d'enfler sous la morsure du froid. Le thermomètre affichait un lamentable -11° degrés à Londres, alors qu'à Vienne, les arbres fruitiers fleurissaient en couleurs de joie et d'apothéose. Visiblement, dame nature s'amusait à s'étirer vers les extrêmes pour revenir au centre, tel un pianiste jouant ses notes ivres, emportées dans des quintes ascendantes et descendantes démesurées. Le climat regimbeur boudait non seulement les lois de la conformité, mais prenait par surprise tout un chacun par ses brusques variations. Pendant que les climatologues se perdaient en conjectures devant ces écarts spectaculaires, personne ne parlait, en Grande-Bretagne, du réchauffement planétaire, alors que depuis plusieurs jours, le mercure se maintenait sous les températures normales.

Kevin renifla bruyamment.

« Vous êtes de nouveau muet et pantois devant mon dénuement et ma pouillerie ?

– Vous pleuriez...

– Qu'est-ce que ça peut vous faire ? dit-il, grelottant de plus belle.

– Beaucoup plus que vous ne le pensez, répondit Œdipe.

– Votre gentillesse à mon égard m'émeut, railla-t-il, les dents claquant violemment dans sa bouche.

– Kevin ! Pourquoi n'éprouveriez-vous pas un peu de considération pour vous-même ?

– De quoi parlez-vous ? Vous avez avalé le diable de travers et vous me... me le renvoyez en petites bouchées mal mâchées ! Je... je ne connais aucune *Madame considération* et si... si elle venait à passer par... par ici avec ses beaux atours, qu'elle ne m'adresse... sur... surtout pas la parole. De toute fa... façon, personne n'a d'estime pour les gens, sinon... que pour... pour

ceux de leur espèce et… et encore. C'est de la… de la foutaise »,
déclara Kevin en claquant des dents.

Œdipe savait qu'il ne servirait à rien d'argumenter avec cet
homme pris dans l'étau de sa colère contre l'humanité entière. Il
luttait suffisamment contre les déboires de sa vie sans qu'il lui
offre motif à s'insurger davantage. À ce rythme, et devant son
niveau de congélation, même son esprit se changerait très bientôt
en cube de glace.

« Kevin, j'aimerais vous offrir la possibilité de passer quelques nuits à l'hôtel », lança-t-il d'une voix rassurante.

Le mendiant le regarda, ébahi. Sa respiration demeura en sus-
pension pendant quelques instants avant de s'approfondir
bruyamment dans une inspiration qui ressemblait à celle d'une
fin de vie tant elle s'allongeait en secondes interminables. Rete-
nant de peine et de misère les larmes surgissant du fond de ses
yeux rougis, il n'accepta ni ne refusa l'offre. Cette délicatesse
d'Œdipe, à l'égard de son infortune, semblait immobiliser totalement sa fonction verbale.

« Est-ce que ça va? s'enquit Œdipe, inquiet par le mutisme
inaccoutumé de Kevin.

– Je ne sais pas, répondit Kevin au bout d'un long moment,
tremblant de froid.

– Vous avez un besoin urgent de chaleur et de confort.
Encore quelques minutes à flirter avec ce froid et demain vous
ferez la manchette nécrologique!

– Un crétin de moins sur la terre… hoqueta-t-il péniblement.

– Vous êtes loin d'être un crétin, Kevin! Vous possédez de
très grandes qualités et elles sont toutes à votre honneur. »

Œdipe se retint de lui dire que, là où le bât blessait, c'était
lorsque les aiguillons de ses paroles trouaient chacune des bulles
de gentillesse dirigées vers lui. Quelle tristesse de penser que cet

homme à l'intelligence suprême, néanmoins altérée par l'insanité de sa vie, ne pouvait rien faire de mieux qu'errer dans les rues, insulter les passants et rencontrer son chagrin chaque fois que l'impuissance devenait son alliée!

« Laissez-moi cinq minutes. Je vais aller vous retenir une chambre pour une période de sept jours au Mercure London City Bankside sur la rue Southwark. Il ne s'agit pas d'un cinq étoiles, mais vous y serez confortable et surtout au chaud. Vous aurez droit au petit-déjeuner continental et je paierai pour les autres repas durant la période où vous y séjournerez. Une entente sera établie avec l'hôtel afin de ne pas dépasser un certain budget. Évidemment, le mini-bar ne vous sera pas accessible. Est-ce que cela vous convient? »

Kevin demeura sans voix, visiblement mal en point. Œdipe prit la situation en main. Il courut vers une cabine téléphonique, fit les arrangements nécessaires avec le service de réservation de l'hôtel et revint rapidement vers Kevin. Au bout de quelques minutes d'attente, il aperçut un taxi qu'il héla. De peine et de misère, Œdipe et le chauffeur aidèrent le mendiant à s'installer sur la banquette arrière et se dirigèrent vers l'établissement hôtelier.

À l'accueil, l'hôtesse n'émit aucun commentaire sur l'allure débraillée de son nouveau client, lui offrant le sourire de courtoisie réservé à toutes les personnes fréquentant ce lieu. Même avec toute la bonne volonté du monde, le clochard, tremblotant de tous ses membres, aurait été incapable de lui retourner la pareille.

« Croyez-vous qu'il serait possible de me procurer une couverture légèrement réchauffée? En fait, il s'agit d'une urgence. Cet homme souffre d'un début d'hypothermie et je ne voudrais pas que sa condition s'aggrave. Il a été exposé trop longtemps à la température glaciale. Ah oui! Si vous pouviez lui préparer une tasse de chocolat chaud… enfin, plutôt tiède que chaud, j'apprécierais beaucoup. »

À peine entré dans la chambre, Œdipe coucha Kevin sur le lit et courut chercher des serviettes, qu'il trempa dans l'eau attiédie, avant de les déposer sur les mains gelées du mendiant. Il retira avec délicatesse ses bottes trouées et procéda au même rituel avec ses pieds. Les teintes violacées, les légères crevasses ainsi que les enflures démontraient que le froid y avait déjà provoqué un commencement d'engelure. Peut-être valait-il mieux le transporter à l'hôpital.

Un coup sec fut frappé à la porte. Un steward apportait une couverture et le breuvage. Œdipe le remercia en lui tendant quelques pièces de monnaie et s'empressa d'aller poser le plaid réchauffé sur Kevin. Il s'empara du récepteur et contacta l'assistance médicale afin d'éviter toute erreur de jugement et d'action. La préposée au service des urgences jugerait, selon son évaluation, si l'envoi d'une ambulance serait approprié.

Cette intervention ne fut pas nécessaire.

Il appliqua à la lettre les recommandations de l'infirmière et laissa Kevin s'endormir, incapable de boire son chocolat laitée tant il s'avouait faible et abattu. Œdipe s'installa sur la chaise inclinable à ses côtés, apaisant son corps gorgé d'adrénaline. Au détour de ses pensées de plus en plus floues, il s'enfonça lui-même dans le sommeil.

Trois quarts d'heure plus tard, un mouvement près de lui le sortit de son assoupissement. Kevin se réveillait, surpris de se retrouver au chaud dans un lit confortable, à l'abri des intempéries. Il regarda Œdipe avec, dans les yeux, une sorte de gratitude que son bienfaiteur n'eut jamais cru possible chez cet être rustre.

« Je suis content que vous reveniez enfin à vous-même. Comment allez-vous ? s'enquit Œdipe.

– Un peu mieux... grâce à vous, mentionna Kevin d'une voix grave.

– Heureux de vous l'entendre dire. Cette chambre est louée pour une semaine. Pour toute urgence, la réceptionniste vous assistera.

– Dois-je vous remercier? balbutia Kevin.

– Non. Prenez seulement un peu de temps pour récupérer et vous reposer. Je dois poursuivre ma route. J'ai un rendez-vous dans le métro à dix-neuf heures pile. Si je tarde encore, je serai en retard. L'important, c'est de vous savoir à l'abri du froid. Commandez-vous un souper léger au restaurant de l'hôtel, ça remontera votre niveau d'énergie et sans doute votre moral. »

Un sourire traversa les lèvres de Kevin avant qu'il mentionne avec une gentillesse exceptionnelle :

« Je tiens à vous dire merci. Je suis un baveux, un sans-cœur et un lâche, mais je suis capable de reconnaître le geste incroyable que vous venez de poser à mon égard. Merci. Je suis touché et, aussi, très fatigué.

– Je vous laisse, Kevin. Si vous le permettez, j'aimerais bien revenir vous voir, disons demain après-midi.

– Hum! Délicat... Pourriez-vous m'aviser auparavant? Il est possible que je trempe quelques heures dans le bain afin de libérer mon corps des poux et acariens qui ont choisi d'y élire domicile faute de trouver une niche plus agréable.

– Pas trop chaud, ce bain.

– Oui maman poule! J'y veillerai, soyez sans crainte. Filez voir votre gonzesse...

– Pas une gonzesse! Une femme charmante, pour laquelle seules nos folles discussions m'intéressent. N'allez pas imaginer rien d'autre, coupa Œdipe.

– Vous m'en direz tant! Que Dieu vous préserve de cette folie que vous vous apprêtez à commettre. Allez! Ouste! Au fait, quel est votre nom, vous ne me l'avez jamais révélé?

– Œdipe. »

Kevin sursauta de surprise et s'exclama sur-le-champ, retrouvant son mordant:

« Parbleu! Si je m'attendais à cela! Vous vous surpassez, maintenant, avec un sens de l'humour gloussant et glissant sur un terrain précaire. Un brin d'admiration vient d'éclore en moi, juste pour vous et votre imaginaire hellénique. Mais j'y pense, si vous êtes Œdipe, ne vous en déplaise, je suis vraiment Tirésias, le prophète aveugle de Thèbes qui vous poursuit dans votre nuit. Houuuuuuuuuh! Peut-être aurez-vous enfin du respect pour mes dires, quoique Tirésias et Œdipe… ouf… ils ne se parlaient pas avec le dos de la cuillère! Allez, bonne route et ne vous énervez pas sur le chemin de la Béotie, il pourrait vous en coûter… Tiens, tiens, ça me rappelle une vieille conversation entre nous.

– D'évidence, vous vous portez mieux. À bientôt, Kevin. »

Il se leva et laissa Kevin enchanté de l'impact de ses paroles.

◆ ◆

Œdipe courut vers la bouche de métro, tentant malaisément de fuir les propos du mendiant. La maudite perspicacité de ce vagabond s'amalgamait presque à de la voyance. Au bord de la nausée, il dévala les marches, présenta sa carte au guichetier et tourna le tourniquet. *De l'air, de l'air... donnez-moi un petit filet d'air... je ne veux pas m'effondrer dans l'Underground...*

Après un changement de train et dix minutes de trajet dans les couloirs souterrains, Œdipe descendit à la station *Gloucester Road* de la ligne *Piccadilly* et se dirigea vers son lieu de rendez-vous. En voyant Julia, il sourit et relâcha ses épaules. Assise sur un banc, absorbée par la lecture d'un livre, elle demeurait totalement indifférente à la clameur des gens.

Œdipe se demanda si l'amitié serait concevable avec cette femme dont l'âge fuyait vers l'avenir bien avant le sien. Pourraient-ils se fréquenter encore longtemps sans que naisse, entre eux, un sentiment plus profond, émergence qu'il désirait strictement inenvisageable même si effectivement elle était charmante? De toute manière, elle-même ne souhaitait aucun développement vers une liaison amoureuse, refusant toute approche autre qu'amicale. *Cela n'appelle-t-il pas son contraire?* songea Œdipe, perplexe.

Il regarda Julia avec attention. Elle portait les mêmes vêtements sombres, à croire qu'un vœu de pauvreté la liait à une simplicité rigoureuse. Aucune poésie ne traversait son visage, sauf pour ses yeux dont il se souvenait de la couleur et de la profondeur. De toute façon, qu'importait la teinte de ses iris pourvu que la braise de son esprit continuât d'y vivre sans cette fixité et ce vide rencontrés chez les désenchantés de la vie. L'attirance aurait été moindre et en réponse à quelques-uns de ses propres déserts existentiels.

Sa peau laiteuse, engravée d'une multitude de taches de rousseur, son nez trop élargi, ses cheveux touffus et sa bouche fine, loin de celles voluptueuses encensées par les magazines, la rendaient probablement quelconque aux yeux des gens; mais aux siens, elle demeurait une femme fort sympathique et agréable à regarder. Elle aussi, d'ailleurs, pouvait passer inaperçue... Décidément!

Il marcha en direction de Julia.

« Toujours perdue dans les mots, les vôtres ou ceux d'un écrivain », lui dit-il, arrivé à sa hauteur.

Julia releva la tête et sourit.

« Cela tient-il lieu de : "Bonsoir! Ravi de vous revoir..." ?

– Oui, oui, bonsoir et bien heureux de vous revoir, Julia. Je suis curieux, quelle est cette lecture qui retient votre attention ?

– *Le Port* de Charles Baudelaire, un poète français.

– Parlez-vous le français ?

– *Absolument, monsieur* », lâcha-t-elle avec un accent prononcé.

Elle reprit en anglais :

« Toutefois, le livre que je lis est une traduction dans la langue de Shakespeare.

– Qu'a-t-il de fascinant pour tenir ainsi captif votre regard ?

– À vous de me le dire. »

D'une voix chaude et vibrante, sans se soucier d'importuner ou non Œdipe, elle amorça sa lecture pendant qu'il s'asseyait à ses côtés :

« Un port est un séjour charmant pour une âme fatiguée des luttes de la vie. L'ampleur du ciel, l'architecture mobile des nuages, les colorations changeantes de la mer, le scintillement des phares, sont un prisme merveilleusement propre à amuser les yeux sans jamais les lasser. Les formes élancées des navires, au gréement compliqué, auxquels la houle imprime des oscillations harmonieuses, servent à entretenir dans l'âme le goût du rythme et de la beauté. Et puis, surtout, il y a une sorte de plaisir mystérieux et aristocratique pour celui qui n'a plus ni curiosité ni ambition à contempler, couché dans le belvédère ou accoudé sur le môle, tous ces mouvements de ceux qui partent et de ceux qui reviennent, de ceux qui ont encore la force de vouloir, le désir de voyager ou de s'enrichir. »

Les deux demeurèrent silencieux, laissant l'effluve des mots emplir leur âme et leur esprit.

Œdipe était troublé par ce texte qui respirait autant la beauté et le mystère que le raffinement et la poésie. Le choix de lecture de cette femme touchait bien des cordes sensibles en lui.

« Pouvez-vous me relire la première phrase, Julia ?

— Avec plaisir: "Un port est un séjour charmant pour une âme fatiguée des luttes de la vie."

— Je pense que je suis l'âme fatiguée.

— Pourquoi êtes-vous fatigué ?

— J'ai connu la rupture de tant de liens et je n'ai jamais été capable de les restaurer.

— Pour quelle raison tentiez-vous de réparer des liens brisés ? Toute cassure n'indique-t-elle pas une fin ?

— Peut-être suis-je habité par le fol espoir de mettre le sceau du succès là où j'ai lamentablement échoué. Une soudure, un recollage ou une réparation me démontrerait l'influence des hommes sur leur destin, même si je sais qu'un lien effiloché ne pourra jamais retrouver sa vigueur ni son apparence première. Toutefois, je signe et persiste, nous pouvons, à partir d'une brisure, nous reconstruire et vivre autrement. Et cet *autrement* demeure dans la norme de l'acceptable et du correct s'il ne subit pas le regard accusateur et condescendant des gens qui détiennent arbitrairement et faussement le pouvoir de décider si le lien cassé est toujours bon, solide et fiable après la restauration. De toute manière, mieux vaut ne pas établir de liens que de passer sa vie à les réparer. Bon, me voilà reparti. Arrêtez-moi gente dame !

— Pourquoi donc ? Votre courant est fluide malgré la complexité du sujet. Savez-vous ce que j'apprécie de vous ?

— Non.

— Votre capacité d'ouvrir sur des sujets importants. Nous pourrions parler de la pluie et du beau temps, de tout et de rien: ce qui, en soi, est correct. Mais vous parlez de ce qui vous vient à l'esprit, là, sur le moment, sans que n'intervienne de manière trop abrupte ou sévère, votre censeur intérieur. De la psychanalyse en action, mon cher! J'ai l'impression que nous nous connaissons depuis vingt ans. Quelle bouffée de fraîcheur vous représentez dans ma journée malgré la profondeur et l'intensité de votre propos! Cela dit, permettez-moi d'effectuer un virage à cent quatre-vingts degrés pour revenir à une réalité plus prosaïque. À quelle heure est notre réservation au *Da Mario*? »

Œdipe regarda sa montre, sourit et répondit:

« Dans deux minutes.

– Oh là! Juste le temps de respirer un bon coup, de prendre mon sac à main, de nous lever et de détaler à la vitesse de l'éclair vers un lieu situé à dix minutes de marche.

– Avec beaucoup de chance, nous serons là dans une minute... »

Ils se levèrent en riant et d'un pas se moquant du temps, se dirigèrent vers le restaurant sous une pluie d'étoiles brillantes et valseuses. Œdipe pensa que le bonheur recélait une dose de poésie douce et simple, à l'image de Julia...

« Vous êtes unique, osa-t-il lui mentionner.

– Qui vous dit que je suis ce que je suis?

– Mmmm! *Qui vous dit que je suis ce que je suis?* Je crois que nous venons de franchir la barrière de la quatrième dimension. À moins que ce ne soit la cinquième, la sixième... « *Attention! Attention! Voyage interstellaire dans le monde de l'imaginaire amorcé. Détachez vos ceintures de sécurité, laissez derrière vous toutes vos idées préconçues et élevez-vous vers l'univers sans frontières de la créativité.*

– *Vous y trouverez un petit mouchoir blanc bordé de dentelle,* tenta Julia.

– Sur lequel une inscription mystérieuse…

– Couleur turquoise comme les eaux du sud…

– Intriguera votre pensée de détective en herbe…

– Et mettra en émoi la mémoire d'un souvenir…

– Qui n'avait de révolu et d'ancestral…

– Que son passé antérieur…

– Et non sa force vive et prodigieuse… »

(Pause et regards complices)

« *Ô! Petit mouchoir blanc,* reprit Julia.

– Bordé d'une magnifique dentelle…

– Dévoile-nous maintenant ton message…

– De paix universelle et transgénérationnelle…

– Pour qu'il se répande dans le voisinage…

– Pétales de marguerites au vent… »

Julia prit une voix grave.

« *Eh bien, mes chers tout-petits…*

– Voici donc le message, poursuivit Œdipe.

– Sans désir point de conflit…

– Sans conflit point de vie…

– Ou si vous préférez…

– Les carottes sont cuites. »

Œdipe et Julia éclatèrent d'un rire sans fin.

« N'est-ce pas merveilleux de dire et d'inventer ce que l'on veut, sans peur de l'interdit et du ridicule? lança Julia, à bout de souffle.

– *Un pur bonheur...*

– *Du lait au chocolat...*

– *Une brise dans les cheveux...*

– *Une navette spatiale...*

– *Un bateau spécial...*

– *Un passereau des bois...*

– *Un teinturier...*

– *Un teinturier?*

– *Bon d'accord, une fée des étoiles.* »

Œdipe et Julia arrivèrent le cœur rieur au croisement des rues Queen's Gate Mews et Gloucester, où se dressait l'établissement abritant le restaurant. Ils s'arrêtèrent un instant pour admirer sa magnifique architecture. Cet édifice avait été construit à la demande de la reine Victoria, cent vingt ans plus tôt, alors qu'elle désirait voir s'ériger un style architectural différent de ceux classiques de Londres. Amalgamant finesse et beauté, styles vénitien et gothique, ce complexe se démarquait des autres environnants par son aspect noble et racé.

Une atmosphère chaude et remplie d'odeurs épicées accueillit Julia et Œdipe à leur arrivée. Un Noël italien, pourquoi pas?

Un serveur les conduisit vers une table en retrait, tel que spécifié dans leur réservation, et leur remit le menu spécial pour cette soirée menant à la plus longue nuit de l'année.

« Quelle est ta préférence, Œdipe? s'enquit Julia, quelques minutes plus tard, salivant juste à la lecture des plats suggérés.

– Je crois que je vais m'offrir le luxe de quelques fruits de mer. Mes papilles gustatives s'éveillent à cette simple idée, déclara-t-il, une inflexion gourmande dans la voix.

– Moi, j'hésite entre le saumon grillé et le bœuf aux légumes. Tentant... »

Les deux optèrent finalement pour un *Gamberoni Alla Brace*, des crevettes roses géantes cuites sur charbon de bois, servies avec une salade mélangée et du vin blanc liquoreux, un *Monbazillac* corsé et bouqueté à souhait. Quant au dessert, gâterie du temps des Fêtes, ils arrêtèrent leur choix sur un *Coppa Frutti de Foresta*, une petite coupe de fruits variés sur lesquels ils demandèrent l'ajout d'une boule de glace à la vanille et un coulis de chocolat fondant. Un festin en perspective.

Œdipe regarda curieusement Julia.

« Vous m'avez posé une question fondamentale, un peu plus tôt, avant que nous nous envolions vers une créativité oratoire des plus sublimes. Je n'ai pas oublié qu'elle demeurait toujours en attente de réponse.

– Et quelle était cette question qui a continué de vivre et de se creuser une place prépondérante dans votre esprit ?

– Qui vous dit que je suis ce que je suis ?

– Hum ! Je comprends qu'elle ait suscité votre intérêt, vous dont la quête existentielle représente l'intérêt primordial dans votre vie. Je me demande seulement si vous êtes prêt et disposé à l'entendre.

– Vous me voyez surpris de votre doute sur ma soif d'en connaître davantage à votre sujet. Je veux tout savoir. En long et en large, mais, bien sûr, dans la mesure où nous n'entrons pas dans le territoire intime délimité par vos frontières. Je m'en voudrais d'outrepasser les bornes de votre vie privée.

– Vous avez raison, je ne suis pas du genre à livrer mes secrets. Je suis une carpe qui préfère demeurer muette même si parfois j'aimerais bien communiquer plus intimement avec l'autre. En résumé : je suis une carpe silencieuse qui émet des sons, mais seulement quand elle le veut, ou le peut. "La sagesse est un art", a dit Sénèque. "Le silence est d'or", souligne Julia.

– Dites donc ! N'avez-vous jamais pensé devenir philosophe ? Il me semble que ce métier, qui flirte étroitement avec la réflexion métaphysique et les interrogations existentielles, serait un atout précieux dans votre cheminement.

– Philosophe ? Bien sûr ! Et psychologue, anthropologue, ornithologue, géologue, archéologue… Étant dans l'impossibilité de pratiquer ces métiers, j'ai opté de tous les embrasser en devenant une femme de lettres.

– Chère Julia, si j'ai bien compris, en dehors de votre carrière d'écrivaine et de votre attirance pour les sciences, vous aimez beaucoup vous revêtir de l'habit du silence même si celui-ci cherche à se dire, sans trop se livrer. Hum ! Je connais un bon psychanalyste, vous savez...

– Tout doux le roi de Thèbes ! »

Œdipe sursauta à ses paroles. Il tenta de cacher son malaise grandissant, pendant que Julia le regardait, remplie de compassion. Avec finesse, elle dévia la conversation sur le sujet prédominant.

« Je n'ai jamais fait d'analyse, mais j'ai lu une quantité industrielle de livres s'y rapportant et, à bien des égards, ces informations ont changé mon regard sur la vie. Cela dit, j'ai éprouvé souvent l'envie d'envoyer valser Freud en enfer avec quelques-unes de ses inepties fondamentales, tandis que d'autres fois je l'aurais propulsé au zénith avec ses théories fascinantes. Heureusement que cet homme était tourmenté, sinon il ne nous aurait jamais concocté une telle méthode thérapeutique.

— Dites-moi, en dehors de la psychanalyse, quels ont été ou sont vos sujets de prédilection ?

— Tout ce qui touche la mort.

— La mort ? demanda Œdipe, la gorge soudain nouée.

— En effet. J'en avais une peur terrible, d'où mon désir de l'apprivoiser.

— La mort ou l'agonie la précédant ?

— Les deux. D'abord l'agonie, parce que tout être normalement constitué ne désire certainement pas voir son corps dépérir dans la souffrance autant physique que morale, si tel s'avère le sentier de ses dernières heures. Et la mort elle-même, parce que je ne sais trop ce qui se cache derrière le voile de la vie, dans l'après-vie. C'est fou, durant toute notre existence, nous traversons des deuils, des renoncements, petits ou grands, pour réaliser qu'en fin de compte, c'est grâce à eux que nous avons appris à vivre. Se pose alors la question primordiale à savoir si cette même vie, criblée de pertes et de fins, nous permettra de mieux mourir — que ce soit pour renaître ici ou ailleurs, à moins tout simplement de nous dissoudre dans le néant éternel. Peu importe. Aujourd'hui, comment pourrais-je craindre la mort et une soi-disant existence ultérieure sinon qu'en me projetant dans un futur hypothétique inconnu de tous ? Et surtout, comment pourrais-je changer une issue dont j'ignore les rouages profonds et l'entiè-reté des données ? Alors, je vis le moment présent tout en conti-nuant de construire différents destins, avec l'apport des mots et au rythme de mes fantaisies.

— Ça y est ! Vous recommencez.

— Que voulez-vous dire ?

— Vous lisez dans mon esprit ou m'entendez réfléchir.

— Et quelles sont ces pensées pour lesquelles vous me prêtez les facultés de voyance, peut-être même de clairaudience ?

– Quand vous parlez de destin, vous touchez au nœud même de mon existence — nœud dans tous les sens du mot. Et quand vous parlez de psychanalyse, vous évoquez ce monde dans lequel je plonge trois fois par semaine avec un Freud des temps modernes. D'ailleurs, n'aviez-vous pas intuitionné cette partie de mon parcours lors de notre première rencontre ? »

Le serveur interrompit leur conversation pour prendre leur commande, puis avec un large sourire, leur souhaita une agréable soirée.

Œdipe regarda attentivement Julia. Était-ce un effet de l'éclairage dans le restaurant ? Il crut discerner une aura lumineuse autour de son être entier. Soudain, tout devint flou. Des sueurs se mirent à perler sur son front. Des gouttes d'encre… Son cœur s'emballa en des mouvements désordonnés. Il se sentit défaillir.

Qui est cette dame ? Qui est Julia ? se demanda-t-il, paniqué. Elle n'avait toujours pas répondu à la question qu'elle avait soulevée en début de soirée : *Qui vous dit que je suis ce que je suis ?*

Œdipe eut l'impression fugitive d'une femme penchée sur lui, une plume à la main… une plume dont le mouvement se figeait dans l'immobilité. Ce simple geste en appelait de sa vie, le maintenait dans une identité à laquelle toutes références venaient de s'évanouir. La question n'était plus tellement *Qui vous dit que je suis ce que je suis ?*, mais bien : *Qui suis-je ?*

9

Un matin glacé s'étirait sur la ville de Londres. Sigmund se leva et regarda par la fenêtre. La neige poétisait de nouveau le paysage qui, après la fonte des flocons, s'était métamorphosé en une grisaille hivernale des plus ennuyantes. Ce n'était pas fini. La météo en annonçait quatre autres centimètres pour la nuit à venir. Quel bouleversement météorologique !

Depuis le rappel à son esprit, quelques semaines plus tôt, des évènements entourant la mort de Phillip, sa vie elle-même, à l'égal de la température, s'était refroidie. Certes, il éprouvait une grande libération, mais quelque chose, en lui, demeurait anormalement froid. Son sommeil se meublait de cauchemars et son quotidien évoluait dans un tumulte de pensées agitées. Était-ce cet évènement que ses rêves tentaient d'amener à son attention en lui répétant comme une turlutaine : « retourne aux origines, retourne aux origines… » ou bien s'agissait-il d'autre chose ? Quoi qu'il en soit, cette réminiscence n'avait pas ramené l'amitié.

Sigmund se demanda à quel moment ses visions répétitives avaient commencé à se manifester dans sa vie. Il n'eut pas à chercher longtemps. *C'était après le premier appel téléphonique d'Œdipe. Il désirait obtenir un rendez-vous dans le but éventuel de suivre une cure psychanalytique. Je l'ai reçu la semaine suivante dans mon cabinet,* se rappela-t-il.

Le médecin s'efforça d'établir un lien, aussi ténu soit-il, entre ce premier entretien et les images qui revenaient sans cesse à son esprit. Peine perdue. Pourtant, même si son patient avait refusé de lui dévoiler son nom lors de leur première conversation, son intuition lui chuchotait que déjà, à ce moment-là, un rapprochement existait entre eux.

Tout de même, quelque chose m'échappe...

Contemplant la scène hivernale, Sigmund se mit ensuite à réfléchir aux circonstances entourant la disparition de Phillip, non pas du point de vue de son déroulement, mais de sa portée symbolique.

Œdipe tua son père Laïos et moi j'ai...

À peine la pensée ébauchée, il en cessa le développement. Déformation professionnelle, de toute évidence. La psychanalyse lui sortait par tous les pores. Quelle idée de vouloir ériger l'évènement sur le mont du symbolisme afin de lui trouver de nouveaux angles d'interprétation ! Cherchait-il, par ce biais, à se détourner de son irresponsabilité première ? Désirait-il alléger sa souffrance morale, sa honte et ses remords, en donnant à cet incident prédominant une explication autre que la seule possible, soit une tragédie nautique, un jour de tempête dans la Mer du Nord ? De toute manière, l'analyse qu'il s'apprêtait à élaborer ne l'aurait nullement éloigné de sa douleur.

Pourquoi ce satané accident est-il survenu ?

Le psychanalyste ravala ses larmes. Il avait bâti sa vie sur cette catastrophe majeure et, tout comme Œdipe, il se sentait impuissant à se départir des lambeaux noircis de culpabilité qui tapissaient son quotidien.

Ça suffit, Sigmund !

Il se secoua. Sa clinique débutait dans une demi-heure, ce qui lui donnait un peu de temps pour se remettre de ses émotions.

Une odeur agréable de petit-déjeuner se fraya un chemin jusqu'à ses narines et l'incita à se diriger vers la cuisine.

« Lolita ! », s'exclama-t-il, la voyant près de la cuisinière, la spatule en l'air, une goutte de tristesse roulant sur sa pommette. « Que faites-vous ? Pauvre petite ! Allez, venez ici. »

Il ouvrit ses bras.

Lolita tourna le bouton de la plaque chauffante et alla se réfugier timidement dans cette cache remplie de sollicitude, qu'elle avait refusée, jusqu'à maintenant, par crainte de s'effondrer littéralement. Aujourd'hui, elle capitulait devant cette nouvelle attention du Dr Dorland.

Au lendemain de la nouvelle du décès de son fils, ses larmes s'étaient mises à couler au compte-gouttes, gelées de l'intérieur par la peur de se noyer dans son propre chagrin. Incapable d'éprouver à fond la douleur insoutenable liée à la perte de son garçon, elle avait mobilisé ses énergies dans l'action, tentant de se couper des sentiments trop intenses qui dominaient son être. Après les funérailles de Carlos, elle s'était jetée corps et âme dans son déménagement tout en s'assurant d'une présence des plus constantes auprès de Francesco. La lumière vive dans ses yeux s'était éteinte à l'annonce de la disparition tragique de son frère. Parviendrait-elle à réanimer la vie en lui, alors qu'elle-même en avait perdu une part avec la mort de Carlos ?

L'accueil bienveillant et chaleureux de Sigmund eut raison de ses cristaux de larmes qui fondirent en une pluie libératrice. Elle pleura. Longtemps. Sigmund, solide comme un chêne, ne broncha pas. Il connaissait cette douleur intime, déchirante, qui s'accrochait aux souvenirs brisés ; ces petites pièces de couleur et de vie que l'âme éplorée tente en vain de reconstituer en un tout, afin de retenir les instants de bonheur fuyant à tout jamais dans l'irrémédiable et l'intemporel.

Quand sa peine fut apaisée, Lolita se dégagea de l'abri bienfaisant de Sigmund et alla s'asseoir sur une chaise. Blême, d'une transparence mortuaire, elle se mit à parler sans arrêt. Sigmund retrouvait l'expressive, la volubile Lolita. Son discours ressemblait à une élégie, un poème sensible, émouvant, lyrique, plaintif où s'ordonnaient, de manière aléatoire et décousue, les élans tendres d'une mère envers son enfant et les gaucheries, les retenues, les frilosités d'une détresse sans fond.

Sigmund écoutait, le cœur mouillé. Le visage de Phillip surgit à plusieurs reprises dans son esprit. Chaque fois, il superposa sa propre douleur sur celle de Lolita.

« Si vous me le permettez, je vais prendre la journée pour me reposer, mentionna-t-elle, épuisée.

– Je vous en prie, faites! Sortez! Allez voir des amis! Relaxez-vous, mais sachez que je suis disponible si votre chagrin devient trop intense et difficile à supporter seule. N'hésitez pas, d'accord?

– Merci! Vous êtes d'une telle générosité! lança-t-elle émue.

– Lolita! À quoi sert l'humain s'il n'est là que pour lui-même et qu'il oublie que l'autre existe autant dans ses joies que dans ses misères? Je vous l'ai déjà dit et je vous le redis, je suis disponible. N'hésitez pas à venir me voir si le fardeau est trop lourd sur vos épaules ou pour toute autre demande.

– Dr Dorland, vous êtes un être exceptionnel. On devrait vous cloner, déclara-t-elle, retrouvant quelque peu son sens de l'humour.

– Non, non, par pitié! Au risque de reproduire tout ce qu'il y a de mauvais en moi! De toute façon, je ne suis pas l'unique personne qui a des oreilles pour entendre et du cœur pour s'émouvoir sur cette planète. Il faut sortir un peu, gente dame !

– Oh ! Si vous saviez à quel point mon seul souhait est de m'enfoncer sous mes couvertures et de dormir, encore et encore, jusqu'à oublier le malheur qui s'est abattu sur notre petite famille. »

La souffrance de Lolita se liquéfia de nouveau, cette fois-ci, en douceur. Sigmund le savait, un deuil pouvait durer des mois, voire des années pour certains. Peu à peu, l'absence se comblait par une acceptation ou une résignation devant l'irréversible. Les souvenirs s'enfermaient dans une valise de l'esprit sur laquelle s'inscrivaient les mots : J'Y REVIENDRAI. Mais, au retour, ils prenaient une forme nouvelle, car, avec les années, l'imagination et l'interprétation en déformaient les contours et la profondeur. Quant à l'émanation subtile du souvenir, provenant d'un temps révolu, elle enveloppait d'un baume de tendresse et de quiétude l'âme tournée vers ses mémoires, du moins, quand ces dernières n'abritaient pas de blessures graves.

« Je comprends votre envie de retrait, Lolita. Votre cœur meurtri doit aspirer au silence et à la détente, déclara Sigmund.

– Absolument ! C'est plus qu'un désir, mais une nécessité incontournable. Je vais terminer de cuisiner votre repas du matin et me retirer dans mes quartiers. Une de ces migraines me vrille la tête, à en perdre le nord.

– Laissez. Je m'en occupe. Allez ! Filez vers le répit !

– Non, non. Dans moins d'une minute, votre repas sera prêt. Et… et je tiens à ajouter que votre sensibilité à mon égard me touche profondément. »

Après un court moment de silence, durant lequel elle s'était affairée aux derniers préparatifs du petit-déjeuner de Sigmund, elle déclara, en lui présentant son assiette :

« Ça ne doit pas être toujours facile de rencontrer des gens qui souffrent. J'imagine qu'il y a souvent péril en la demeure, sinon ils n'aboutiraient pas dans votre cabinet. Pouvez-vous m'en parler sans vous livrer à des confidences ? Je sais que le secret professionnel est essentiel dans votre métier.

– Bien sûr, avec plaisir. En fait, tous mes patients, sans exception, arrivent avec des brisures intérieures. Certaines se réparent avec plus ou moins de difficultés et d'oppositions, alors que d'autres, dont les entailles touchent aux fibres mêmes de la vie, demandent de s'y attarder longuement. Le système de défense de ces derniers s'érige en barricade contre toute intrusion possible dans leur monde. Il les protège même de l'émergence de certaines mémoires douloureuses par une répression constante sur elles. Et pour ajouter à leurs malheurs, des vagues déferlent, s'abattent sans relâche sur eux et leurs expériences, amplifiant ou perpétuant leurs troubles. Puisque le travail psychanalytique s'effectue en eau profonde, je dois m'assurer que la cale de mes clients n'a pas subi de revers critiques. Je serais attristé que leurs premiers efforts pour prendre le large vers les rives de leur inconscient soient engloutis à la ligne de départ. Colmater les brèches demeure une priorité de base. »

Sigmund éprouva tout à coup un vertige. Pourquoi avait-il utilisé cette métaphore de l'eau et d'un bateau pour parler des blessures de ses patients ? Des images remontèrent rapidement à la surface de son esprit, mais Lolita le ramena au moment présent, l'invitant à poursuivre.

« Colmater ?

– Oui, colmater. Euh… Vous permettez que je me retire un instant ?

– Bien sûr, fit-elle surprise. »

Le psychanalyste se leva et se dirigea en vitesse vers la salle de bain. Son cœur battait la chamade. Il aspergea son visage d'eau froide et se regarda longuement dans le miroir. Qu'était-il devenu ? Quelle image de lui-même s'était-il créée par le déni de cette expérience en mer ?

Il sécha ses mains et retourna dans la cuisine, tentant d'afficher un air calme. Lolita le considéra étrangement, percevant son malaise sans pouvoir l'identifier.

« Alors, nous disions ? s'enquit-il.

– Vous parliez de colmater les brèches… »

Sigmund prit une grande respiration, avant de poursuivre sur la même lancée. Il avait commencé une explication, il devait la terminer.

« Colmater, Lolita, mais pas dans le sens d'une action directe. Je parle ici de fournir un espace pour l'individu en détresse. En réalité, les premières rencontres permettent de poser un *patch* de bienveillance, de patience et d'objectivité là où la fragilité et la précarité pourraient rompre définitivement le fil ténu qui se tisse entre nous. Pour bien des patients, en raison de leurs solides résistances, quelques consultations ne suffisent pas à créer un climat de confiance qui inviterait au dévoilement progressif des souffrances. Plusieurs sont nécessaires ; parfois même, beaucoup. Lorsque le pansement ou le filet de sécurité est fixé, assise essentielle de la cure, le client, rassuré, peut descendre à son rythme dans les coins sombres de son navire pour travailler ses trouées et ses fuites. Les risques sont désormais plus faibles qu'il coule ou se noie… oui, se noie… durant l'expérience de la rencontre avec lui-même et du ressenti de ses souffrances. »

Voilà que je recommence ! pensa Sigmund, le cœur serré. Il prit le temps de calmer l'agitation montante et ajouta à demi-voix :

« Longtemps après, au terme de sa thérapie, quand le patient aura émergé de sa nuit opaque et brumeuse, il pourra hisser les voiles de la récupération et naviguer avec confiance et certitude sur les eaux plus tranquilles de sa vie. *Et moi, aurai-je le courage, un jour, de retourner en mer?* continua-t-il intérieurement.

— Quelle poésie dans vos mots, Sigmund! Et quel métier fabuleux que le vôtre! J'aspire à devenir psychologue.

— Il s'agit d'un très beau rêve, Lolita. Ne le perdez jamais de vue. Il vous comblera à bien des niveaux, du moins est-ce mon souhait pour vous, si telle est votre ambition, lança-t-il en riant.

— Oh! Vous savez, à mon âge, les chances de réussite sont minces, quasi inexistantes. Les tarifs universitaires exorbitants, du moins pour mon budget, sont incompatibles avec les desseins de mon cœur. Au rythme où je progresse, je serai psychologue à cent vingt-trois ans! De plus, le temps fuyant je ne sais où n'arrange guère les choses. Ça me prendrait un lasso pour l'attraper et encore là, il filerait par le trou.

— Cent vingt-trois ans, vous dites? Ça vous donnera un avantage certain sur bien d'autres: celui de l'expérience de la vie; élément essentiel dans ce métier, déclara-t-il avec un brin d'humour.

— Touché. Je vais donc continuer d'actualiser mon rêve trrrrrès lentement, puisque tortue oblige!

— Bravo! Sage décision! Je vous encourage à poursuivre votre démarche même si elle devait s'avérer la plus longue au monde. Une passion saine doit toujours trouver sa réalisation dans une expérience de vie. »

Sigmund enfila quelques bouchées d'omelette tout en pensant que cette femme possédait de belles qualités de cœur. Sa bonté tirait rarement gloriole des services rendus aux autres, oubliant toujours un peu d'elle-même pour leur être utile. Trop? Sûrement. De manière névrotique? Peut-être. Par bonté d'âme? Nul doute. Par peur du rejet? Hum...

Il espérait ardemment que Lolita trouve cette oasis de paix et de bonheur à laquelle elle aspirait de tout cœur et qu'elle prenne conscience que ce havre de tranquillité résidait au fond de son être bien avant d'être une expression extérieure. Sans doute, un jour, au-delà des bruits et des tempêtes de sa vie, fera-t-elle sienne cette pensée d'Albert Camus: *Au milieu de l'hiver, j'ai finalement appris que j'avais en moi un invincible été.*

Un invincible été…

Sigmund sentit un étau serrer sa gorge.

Ramener mon traumatisme de jeunesse à la conscience est une chose. Faire mon deuil en est une autre, songea-t-il, frémissant.

« Vous semblez soucieux, tout à coup, déclara Lolita.

– Des pensées émergent... Je dois filer, maintenant, mon premier patient doit m'attendre.

– Vous n'avez pas terminé votre petit-déjeuner! s'exclama-t-elle, surprise de sa volte-face.

– Vous seriez si aimable de le mettre dans un contenant et ensuite au réfrigérateur, dit-il, essuyant prestement sa bouche. Je suis désolé de vous laisser en plan. À plus tard. »

Il la salua et quitta la cuisine à la hâte.

Lolita poussa un long soupir. Son patron ne prenait pas assez de temps pour lui. Sa vie se déroulait au pas de course. Tranquillement et avec détermination, elle lui ferait comprendre que ralentir portait en son sein un mot important: santé.

◆ ◆

Sigmund passa l'avant-midi et une heure et demie, l'après-midi, dans son cabinet de consultation. En soirée, après un léger souper, il se dirigea vers la salle où son dernier patient l'attendait.

« Bonsoir, Œdipe.

– Bonsoir.

– Veuillez entrer.

– Oui, oui. »

Œdipe pénétra dans la pièce à la suite du médecin et s'arrêta devant une toile de tissu brun accroché sur le mur jouxtant le lit-divan. Il ne broncha pas, plongé qu'il était dans sa contemplation.

« J'ai envie de vous ennuyer avec ce que je ressens en regardant cette œuvre bizarroïde, mais accrocheuse et intéressante. »

Le sourire aux lèvres, Sigmund pensa que, décidément, les tableaux, peu importe lesquels, soulevaient son imaginaire et rien ne semblait entraver cette fonction spontanée chez lui.

« On dirait des poissons circulant dans les couloirs d'un labyrinthe concentrique, pour se rendre en son centre. Au centre de quoi? Je ne le sais pas. Peut-être s'agit-il de saumons qui remontent le courant pour revenir à la source durant la saison du frai. Pauvres migrateurs! Tout à leur naïveté primitive, ils ignorent qu'ils vont succomber dans les eaux utérines de leurs origines. »

Œdipe continua de fixer la toile, détourna ses yeux et s'allongea sur le divan.

« Leur misérable destin s'associe au mot instinct et le mien, à malsain. Moi aussi, je dois revenir à la source. Aux origines. En ce sens, ma cure psychanalytique correspond à un billet d'embarquement en direction d'une fin certaine même si je croyais simplement à un retour vers le passé, une remontée vers la rivière houleuse de mon enfance. Ma naissance non désirée ne représente-t-elle pas la mort? Je… je retourne donc vers mon *premier* repos. Ce rendez-vous avec mes origines a probablement pour mission de me réveiller, comme d'un mauvais songe, pour m'enclencher vers la vie. »

Retourne aux origines, pensa Sigmund.

« Je vais vous dire quelque chose de terrible : je suis à l'inverse des êtres humains. Ils naissent et meurent. Moi, je suis mort et je veux renaître. Les yeux ouverts, si possible. Je suis téméraire et orgueilleux, j'en conviens, mais n'est-ce pas ce qui m'a permis, jusqu'ici, de poursuivre ma route avec courage et persévérance ?

« Naître mort est une chose et mourir en vie en est une autre. C'est fou comment je peux m'illusionner et m'imaginer que mon existence est normale. Tant et aussi longtemps que je suis occupé à m'éteindre et répéter mes marasmes, je me crois vivant puisque je suis dans l'action. »

Sigmund sursauta à ces paroles : *Tant et aussi longtemps que je suis occupé à m'éteindre et à répéter mes marasmes, je me crois vivant puisque je suis dans l'action.*

« D'autre part, si je passe ma vie à tenter de m'allumer, même gauchement, c'est que je suis déjà mort. Curieux ! Je m'efforce de m'en sortir vivant, alors que je suis mort ou nécessairement en route vers le dernier repos, avec tout ce que cela comporte en perte d'illusions et de renoncements sur le chemin du tribunal, euh… du terminal. *Tout le monde descend !* »

Le silence emplit la pièce un moment. Il le rompit.

« Heureusement, mon analyse me permet d'agir sainement en vue d'atteindre mon but : devenir un être à part entière… un être vivant. Mais qu'est-ce qu'exister ? Un cœur qui bat ? Une perception ? Un regard sur soi, sur l'autre ?

« Brrrrr… j'ai froid dans le dos de penser que je ne suis rien sans mon semblable et que son attention sur moi me fournit l'essence pour vivre et avancer. À 1,50 £ le litre, ça revient cher le kilomètre !

« Je déconne! Chose certaine, si je ne peux me payer le luxe de l'avancement, je suis obligé de rester sur place. Et à cet endroit, ou même ailleurs, je ne suis pas seul, finalement...

« Aussi bien vous mettre dans la confidence, je cohabite en permanence avec le fils de Nyx, Thanatos: la personnification ultime de la mort dans la mythologie grecque. C'est épouvantable, quand j'y songe! Sa mère incarnait la déesse de la nuit issue du Chaos originel. Pas très inspirant pour colorer l'existence d'une progéniture! Durant sa conception, la noirceur des Ténèbres a pénétré Thanatos jusque dans sa substance et son destin impitoyable s'y est greffé pour l'éternité. C'est long, ça, sans possibilité de voir la lumière...

« Cela dit, je veux souligner un point sans doute anodin pour vous, mais fort important pour moi. Thanatos éprouvait un problème majeur avec ses pieds. Ils étaient tordus et croisés. Cet être difforme ne pouvait avancer puisqu'aucun principe vital ne circulait dans ses jambes. Si vous me permettez une petite fantaisie de mon cru — sans vouloir aucunement changer le mythe —, je pense que, pour se donner l'illusion d'une vie, Thanatos a pénétré les êtres humains de la tête aux orteils, sachant fort bien que, sans eux, il demeurerait *ad vitam æternam* un chaos inactif. Ainsi logé dans notre intérieur, il prend *vie* et se sert de nos pieds pour avancer. Ou plutôt, pour reculer. Tant et aussi longtemps que nous revenons à la même place, que nous répétons nos situations souffrantes et que nous restons impuissants à nous sortir de nos conflits dédaléens, il maintient son pouvoir saboteur sur notre existence. Une partie de nous, euh... du moins, de moi — pour me rapprocher un peu —, demeure inanimée, morte, tentant sans cesse de rejoindre le versant de la vie. »

Sigmund se réjouit d'entendre son patient revenir au *je*. Il prenait régulièrement le sentier du *nous* quand il s'approchait de lieux douloureux en lui. Sorte d'évitement.

« Par bonheur, Thanatos paye la moitié du loyer avec Éros, qui vit en cohabitation avec lui; relation pacifique ou non. Il s'agit du dieu de l'Amour, et surtout, de la pulsion de vie suprême. Comme si vous ne le saviez pas! »

Œdipe fit une pause avant d'ajouter, rieur:

« Ma foi, Kevin déteint sur moi! J'emploie son langage symbolique et hellénique. C'est ce qui arrive quand on fréquente trop souvent une personne. En tout cas, pour conclure, Thanatos m'en fait voir de toutes les couleurs ou plutôt, une seule: noir corneille! Installé bien au chaud dans mon for intérieur, mine de rien, il m'entraîne toujours plus profondément vers l'opacité, vers la dissolution des liens… C'est insidieux.

« Si je peux émettre un commentaire, je pense que les gens sont trop pris et absorbés par leur besoin d'être aimés. Nous devrions nous occuper davantage de notre solitude que de nos liens, et nous inquiéter de notre peur de ce vide que nous tentons de combler maladroitement ou maladivement. »

Reviens au je, *Œdipe,* eut envie de dire Sigmund à son patient. Mais, il n'intervint pas dans le déroulement de sa pensée.

« Savez-vous quoi?

– …

– Je crois que cette recherche quasi perpétuelle d'un rapport serré à l'autre navigue dans l'angoisse avec, en bonus, la peur constante, consciente ou inconsciente de perdre, un jour, la personne aimée. Les gens s'accrochent à un partenaire en même temps qu'il parle de liberté. Laissez-moi rire! Ils sont libres dans un moule. Un moule qu'ils ont fabriqué pour leur propre sécurité. Est-ce cela, la liberté?

« À mon avis, l'autre représente une bouée. Et celle-ci, supposément de sauvetage, constitue leur perte, car, tôt ou tard, viendra le moment où le lien sera effiloché, déchiré, détruit par les courants adverses. Peut-on être sauvé par ce qui nous maintient dans l'eau de la peur? Quelle sera notre réaction à la suite de cette terminaison? Le suicide, l'aveuglement... »

Jocaste... Œdipe... songea Sigmund.

« Tout ce qu'il me reste à dire sur le sujet, c'est: tonnerre de bravos pour la pureté des liens! Aucun d'eux n'est pur de ce qu'il contient. Je vous le garantis. Notre histoire de liens, c'est atomique. Chimique. Une espèce de covalence, quoiqu'avec quelques petits ajouts. Rien de plus. Le reste demeure une éternelle question d'affectivité et de peur, d'incapacité à retrouver cet *obscur objet du désir*. Perpétuel recommencement. Perpétuelle folie. Douce folie pour certains. Folie destructrice pour d'autres. Mais folie tout de même.

« Les liens de dépendance rendent le monde fou et provoquent des guerres partout. Et, moi, pour me conformer à la norme, je vais me mettre à élaborer des liens? Pas du tout! Je dois garder en mémoire ces mots de Sophocle: ... *quant à l'enfant, à sa naissance, trois jours ne se sont pas écoulés que déjà Laïos lui avait lié les chevilles et l'avait fait jeter par des mains étrangères sur un mont inaccessible.*

« Quelle rentrée fulgurante dans le monde! Une navette pénétrant l'atmosphère d'un malheureux destin pour atterrir sur le mont inaccessible de la mère; sein froid et asséché. Parlons-en des liens! »

Il se tut un long moment.

Sigmund ne put s'empêcher de penser que cet homme avait amplement analysé la question des liens pour en parler de la sorte. Cependant, cette réflexion semblait naviguer dans une seule direction. Était-il si vrai qu'il ne pouvait construire d'attache avec quiconque? Que tout lien courrait à sa propre perte? *J'espère que, dans un avenir proche ou lointain, il réalisera que la compréhension profonde et globale des liens s'avère beaucoup plus complexe que celle qu'il vient d'ébaucher, bien qu'elle comporte des vérités. Le lien ne s'arrête pas à ces considérations uniques ni n'a pour mission de maintenir une personne dans un état de dépendance par rapport à l'autre même si la peur invite souvent à la relation fusionnelle.*

« Pour revenir aux Grecs de l'Antiquité, — je me suis égaré, enfin, peut-être pas —, je constate que beaucoup de personnages mythiques expérimentaient des perturbations majeures avec, euh… leurs jambes, leur base.

« Combien d'entre eux se sont retrouvés avec leur partie inférieure condamnée à être un corps d'animal ? Je songe à Campé, Centauros, Scylla, Dercétis, Échidna, Lamia, Triton, pour n'énumérer que ceux-là. Oh ! J'allais oublier la Sphinge.

« Eh bien, je vais établir un parallèle avec l'être humain. »

Il se fit plus grave.

« Une personne qui a été coupée in-ten-tion-nel-le-ment — j'insiste — d'une part de lui-même par des gens malveillants éprouve un problème qui va bien au-delà du simple constat, du simple déplacement dans l'espace, du simple embarras physique, du simple mythe. Sa pulsion première de vie et son développement psychologique, affectif... et j'en passe, ont été pris en otage.

« En ce qui me concerne, mon père a kidnappé ma première pulsion de vie en la déroutant vers une voie pour laquelle elle n'était pas destinée. Il a fait obstacle à... à mes premiers pas... »

Le silence s'éternisa. Puis, il mentionna la voix nouée :

« A-t-on déjà blessé vos pieds, physiquement, au point d'être incapable de les bouger, réalisant que, même si la douleur est atroce, carrément insupportable, elle ne se rapproche même pas de la souffrance vécue dans la psyché, le cœur et l'âme ? Mon désir de vie, alors, comment aurais-je pu le rencontrer ?

Œdipe ravala sa peine.

« Désormais, je dois réapprendre à marcher, regarder droit devant moi et réécrire mon histoire. En partant du début. Ou bien, à la croisée d'un chemin… juste avant que le drame ne déroule ses torsades.

« Il me faut aussi dénouer l'impasse des liens même si je n'en ai pas envie, pour les raisons mentionnées plus tôt. Cette tâche sera difficile, car, autant vous le dire tout de suite, je souffre des liens absents avec mon père et ma mère biologiques, des liens brisés avec ceux qui se sont occupés de moi, des liens rompus avec mes parents adoptifs ainsi qu'avec mes amis dans la ville où j'ai grandi, *et cetera*. Je souffre aussi des liens jamais créés positivement avec les dieux qui cherchaient ma perte bien avant ma naissance. Alors, si je n'ai pas un problème de liens, j'ai quoi? »

Sigmund tressaillit à cette élaboration. *Il fait référence à qui? À lui ou à Œdipe-Roi? Il ne peut tout de même pas posséder le même vécu que ce personnage du récit de Sophocle! Souffre-t-il à ce point d'un trouble identitaire, d'une altération du fonctionnement? Il y a parfois de ces moments où j'aurais juste envie de lui dire: tout va bien, tu es en sécurité ici. Tu as de la valeur…*

« Les misérables liens mal tricotés dans mon enfance sont des fléaux sur lesquels s'est bâtie mon existence. Mes premiers non-liens imprégnés de haine n'ont-ils pas contribuer à me diriger vers la création inconsciente de liens encore plus malsains pour moi et les autres?

« Pour parler au figuré, mes premières véritables interactions impliquaient les aiguilles piquantes d'un buisson sauvage. Ces pointes épineuses continuent, aujourd'hui, de crever mes bulles d'espoir d'établir un pont nouveau entre mon passé et mon avenir. Mais, je veux avancer, malgré la peur d'être tavelé encore une fois. »

Étrangement, Sigmund vit Œdipe se replier sur lui-même au lieu de démontrer l'attitude de guerrier qu'aurait dû être la sienne suite à ses propos.

« Vous croyez sans doute que je suis un genre d'obsédé qui se berce de la grandiose illusion de pouvoir transformer sa destinée. Vous avez raison. Je suis un obsédé. Et je n'aurai de quiétude que le jour où mon désir sera entièrement satisfait. Peut-on être plus obsédé ? »

Oui. Absolument, refléta intérieurement Sigmund.

« Je voudrais bien vous révéler mon lourd secret, mais qu'arrivera-t-il à ce moment-là ? Comment m'accueillerez-vous ? Avec ou sans jugement ? En interprétant mes dires ou en leur laissant la liberté d'être ce qu'ils sont ?

« J'ai la chienne, parce que déchiffrer et divulguer une énigme est une chose, en subir les conséquences en est une autre. *Habitants de Thèbes, ma patrie, regardez! Cet Œdipe, il avait deviné la fameuse énigme, il était un homme très puissant; quel citoyen dans sa ville pouvait contempler son destin sans envie? Voyez dans quel tourbillon d'effrayantes misères il est aujourd'hui tombé!* »

Le psychanalyste sursauta. C'était la deuxième fois que son patient effectuait une référence directe à Œdipe-Roi de Sophocle.

« Vous souvenez-vous quand Jocaste, la mère d'Œdipe, a dit à son fils devenu son époux: *Puisses-tu jamais n'apprendre qui tu es?*

– Oui.

– Eh bien moi, je vais vous dire ceci: Sigmund, puissiez-vous jamais n'apprendre qui je suis. Car, dès lors, je deviendrai un étranger à vos yeux — ce que je suis déjà aux miens —, ou pire, un être que vous aurez d'abord reconnu, puis banni, exclu, supprimé de votre existence.

« Je ne serai jamais l'enfant prodigue accueilli, à son retour, dans la joie et le faste, car je n'ai pas dilapidé le bien paternel… C'est le père qui a dilapidé ma vie. Qui m'a renié.

« Petit coq à l'âme, ici me croiriez-vous si je vous annonçais que je connais par cœur le texte d'*Œdipe-Roi* de Sophocle, lettre à lettre, mot à mot, virgule à virgule, en grec ancien ? Bien sûr que non ! »

Oh que si ! pensa le psychanalyste.

« Quand la dernière phrase de cette tragédie me renvoie au point final : *Ne proclamez pas un homme heureux tant qu'il n'a pas franchi le terme de sa vie sans avoir éprouvé aucun mal,* je me dis que j'ai déjà franchi le terme de la mienne. Le mal a constitué mes premiers pas. Et loin d'être heureuse, mon existence regorge toujours de misères. Nul ne m'est besoin de prétendre à devenir resplendissant de bonheur alors que je suis un être condamné à l'avance. De plus, c'est écrit, je me dirige vers plus de tumultes qu'une personne puisse en connaître — d'où mon désir de détourner ailleurs l'attention de mon destin, de démontrer que même les lois peuvent être changées, contournées.

« N'êtes-vous pas tanné de m'entendre répéter le même discours ?

– …

– Bref, vous comprendrez que les liens, je n'en veux plus. Ils sont porteurs de malheurs. Toutefois, je veux comprendre pourquoi ils le sont. »

Œdipe se tut abruptement et partit en voyage dans son esprit. Sigmund attendit un long moment avant de risquer une intervention similaire à celle émise lors d'une rencontre précédente.

« Vous et moi, ne sommes-nous pas à construire un lien ?

– NON ! s'écria-t-il. Les liens ne servent que la dépendance et la servitude. Ils n'ont de but que la déchirure. Pourquoi s'empêtrer de ce qui ne verra survenir qu'une fin bouleversante ? Ma vie comporte son lot de tragédies, je ne désire pas mettre en route d'autres drames et d'autres souffrances.

– Pourquoi parlez-vous de fin et de drames?

– Pourquoi parlez-vous de continuité et de perpétuité? »

Sigmund devint rouge. Les yeux fermés, Œdipe ne perçut pas son trouble. *Continuité, perpétuité...* n'était-il pas lui-même aussi éloigné de ces mots et de leurs résonances que son patient? Pendant trente et un ans, il avait refoulé la tragédie de son adolescence à l'arrière-plan de son esprit, s'enfonçant sans cesse dans des automatismes de répétitions, tentant, inconsciemment, à travers ses autres relations, de recoudre le lien déchiré entre lui et Andrew. Incapable de retourner à l'être heureux qu'il était avant la catastrophe en haute mer, il demeurait sous l'emprise de son passé, de cette douleur indissociable de l'attache rompue.

« Êtes-vous là? demanda Œdipe.

– Oui, je suis là », déclara le psychanalyste, reprenant aussitôt son attitude d'écoute qu'il avait quittée l'espace de quelques minutes.

Œdipe avait dû sentir ce retrait.

« Je vous ennuie, je le sais, je le pressens.

– ...

– Vous aimeriez que je quitte votre cabinet pour vous permettre de respirer en paix, loin de mes conneries.

– ...

– Vous ne répondez pas?

– Qui, dans votre enfance, aurait voulu respirer loin de vous, Œdipe? » risqua Sigmund.

Son patient se figea d'un coup, soudain captif d'une émotion subite.

« Je... euh... »

Œdipe ouvrit la bouche comme pour dire quelque chose, mais la referma aussitôt. Pour la ixième fois en un mois, il se leva d'un bond et quitta la pièce sans un seul regard vers le psychanalyste, une douleur emprisonnée en lui. Il avait adopté cette réaction quand le conflit intérieur devenait trop intense et que la confrontation semblait imminente…

◆ ◆

Œdipe bouillait intérieurement en marchant vers l'Underground. Ce Sigmund le rendait fou avec ses phrases "rétroviseurs" qui ramenaient sans cesse son attention vers son passé. *Qui, dans votre enfance, aurait voulu respirer loin de vous, Œdipe?* « Pas de vos affaires ! » avait-il eu envie de lui lancer.

Pour survivre à leur pitoyable destinée, deux êtres abjects l'avaient éliminé de leur vie, lui, Œdipe. Aujourd'hui, de cette atteinte profonde à la personne, ne subsistaient que la peur, la vulnérabilité, la honte, la culpabilité et la colère. Mais aussi, le désir intrinsèque de s'en sortir.

Certes, un malin claironnerait sur tous les toits que c'était par nécessité de survie et d'autoconservation que ses géniteurs avaient induit en lui ses premiers tremblements, car personne ne commettait de gestes gratuits, à moins de se trouver en proie à une douleur terrible. En cela, toute action mauvaise, si cruelle soit-elle, constituait un mécanisme de préservation.

Œdipe ne l'entendait pas ainsi. Sa mise à mort relevait peut-être d'un infanticide raté sur le plan physique, mais pas au point de vue psychique. Ces gens, ses parents biologiques, le sang de son sang, l'avaient tué…

Œdipe fut soudain interrompu dans ses réflexions par l'arrivée impromptue, au coin d'une rue, de Kevin, complètement ivre, exhibant des cheveux rouges et chantant à tue-tête :

« Je suis aux petits zzzzzoiseaux… zzzzoiseaux… zzzzoiseaux… »

« Je rêve! » s'exclama Œdipe. En dehors de l'évidence même qu'est la réalité d'un clochard, que faisait-il dans la rue avec une toison zinzolin et une ivresse alcoolique à abattre le brouillard? Et où avait-il effectué cette teinture? Sûrement pas chez le coiffeur!

Mon Dieu! Noooooooon! Pas dans la chambre d'hôtel!

Cette probabilité demeurait pourtant la seule plausible. Œdipe souhaita qu'il n'ait pas donné dans le Picasso en éclaboussant les murs de son talent inné pour le tridimensionnel: une longue, large et haute excentricité. Même quelques taches indélébiles grossiraient son compte à payer pour la chambre.

Étrange qu'une part de ses fonds, amassés avec ardeur pour boire et bouffer, aient été utilisés pour une telle coquetterie ou rébellion!

« Ohé, mon camarade sauveur, hiiiiisssons les vvvvvoiles…, vocalisait le clochard entre deux hoquets.

– Allez, Kevin, je vous ramène à votre chambre d'hôtel.

– … les marmottes placotent… zzzz'en ai plein les souliers… »

Avec son boucan de tous les diables, leurs pauvres tympans ne tiendraient pas le coup longtemps. À quand le jour où ce malheureux cessera de s'envoyer dans l'œsophage des gorgées de substances liquides douteuses aux odeurs de biodégradation? se demanda Œdipe, espérant qu'il ne s'époumonerait pas dans les corridors de l'établissement hôtelier, dérangeant la paix achetée à juste prix de ses pensionnaires.

« … j'ai trouvé le sarcophaaaaaaage de Toutankhamon-monmon… dans la soupe de mon ami…

– Kevin, répondez-moi. Avez-vous seulement bu de l'alcool ou avez-vous avalé, en prime, quelques cachets euphorisants ?

– … Je vais dooooormir dans le grand liiiiiiiiiiit… de la dusèche, sesse, chesse sont-elles sèchent… twilidilidou lalalère… »

Œdipe poussa un soupir. Il ne tirerait rien d'intelligent de cet ivrogne perdu dans sa brume. Mieux valait se taire et l'entraîner vers l'hôtel où il pourrait cuver son eau-de-vie en toute quiétude dans sa chambre insonorisée.

Diantre, pourquoi j'aide cet homme ? Est-ce qu'à travers lui, je veux guérir ma propre itinérance, ma propre difficulté à transformer ma vie ?

« Oh ! Œdipe… roi écolo… de Colo… logne… lone… de Colone… colonnes… grecques… Il est illégig..gi… gigigitiiiiime… suppooosé…ment… »

Le scélérat ! Maintenant qu'il connaissait son nom, il le ramènerait sans cesse à Sophocle. Quel discours lui tiendrait-il lorsqu'il serait raisonnablement à jeun ?

« Allez, ne traînons pas », déclara Œdipe au mendiant, le prenant par le bras pour le conduire, en lieu sûr.

Un enfant, ma foi ! Comment savoir si cet homme, raccompagné à l'hôtel, ne reprendra pas le sentier de la rue ? Impossible d'obtenir une parole sérieuse de cette personne en état d'ébriété !

Œdipe fut rassuré. À part une légère tache rouge sur le carrelage étincelant de la salle de bain, aucune œuvre picassienne ne rehaussait la couleur des planchers ou des murs.

La goutte de teinture disparut facilement sous le chiffon humide de Sigmund et devant les rictus caméléonesques du clochard. Ce dernier, alla s'étendre sur le lit en esquissant une sorte de danse étrange, fluctuant entre le tribal et le lascif.

« … Je vais me dépliiiiiier comme une serrrrrviettte sur la plaaaaaage… Amenezzzzzzz-en du soleiiiiiiil… »

N'importe quoi! songea Œdipe.

À peine étendu, Kevin glissa dans un sommeil remuant, cuvant son vin sans être présent. Œdipe extirpa de sa poche un petit livre au titre évocateur, Οδιπους τραννος — *Œdipe-Roi* en grec ancien —, et s'installa dans le fauteuil à bascule, choisissant de demeurer près du mendiant, de peur qu'il ne parte dans les corridors en chantant sa folie. Pendant les deux longues heures qui suivirent, il embrassa lentement du regard chacun des mots de cette tragédie qu'il connaissait par cœur.

Œdipe plongea ensuite son regard dans le ciel ivoire, qui pleurait des flocons duveteux derrière la vitre panoramique. Il cligna des yeux, tenta de les garder ouverts, mais il s'endormit. L'ouvrage tomba de ses mains.

Ses premières minutes dans les bras de Morphée furent lisses, sans rêves. Tout à coup, un voile se leva. Sur son écran mental revinrent des visions familières dans lesquelles flottaient les assises d'un souvenir brutal de l'enfance. Elles se transformèrent. Un berger conduisait des moutons tandis qu'un autre transportait un bébé dans ses bras en le rassurant: *ne t'inquiète pas, Pieds-Enflés, je te porterai jusqu'à ta délivrance.*

Les larmes du bébé séchaient sous les reflets cuisants du soleil, mais le sang, indifférent à la chaleur, dégoulinait toujours de ses pieds, marquant la terre du passage de sa vie…

Le rêve dériva vers un autre scénario.

Assis nonchalamment sur un banc de métro vide, dans l'Underground, il fut soudain frappé d'effroi et de stupeur en apercevant la silhouette terrible de la Mort s'avancer vers lui, s'arrêter et le regarder longuement. Elle échappa un objet à ses pieds, puis à la vitesse d'un fantôme, traversa la porte métallique et alla s'évaporer dans le couloir souterrain. Il se pencha et prit dans ses mains ce qui s'avéra être un ouvrage littéraire : *Œdipe-Roi* en grec ancien. Il ouvrit la première page et lut : *Ce livre n'existe pas...*

Œdipe se réveilla en sursaut, le sang palpitant dans ses veines. Il passa ses doigts tremblants dans ses cheveux et chercha à calmer le battement de son cœur. Repérant son livre *Οδιπους τραννος* sur le sol, il le ramassa et l'ouvrit...

« Tiens, vous revenez de votre état de confusion », dit le mendiant, également sorti du sien, arrêtant du même coup l'élan d'Œdipe qui s'apprêtait à ouvrir le bouquin. « Je vous observe depuis un petit moment. Ça ne semblait pas aller très bien dans votre rêve. »

Le trébuchement dans ses paroles s'était volatilisé ainsi que les effets secondaires de la boisson sur ses cordes vocales. *Dieu merci !* pensa Œdipe.

« Comment allez-vous ? demanda Œdipe, nerveux, ne relevant pas ses dernières paroles.

– J'ai un mal de tête impitoyable. »

Il y eut un silence.

« Un très gros mal de tête, insista finalement Kevin.

– C'est probablement la boisson ou la teinture, à moins que ce ne soit les deux ?

– Vous avez un problème avec mon nouveau look ?

– Hum... Enfin... Petite question : qu'est-ce qui vous a pris de vous teindre les cheveux rouges ?

– Je ne me trouvais pas beau. »

Cette réponse surprit tellement Œdipe qu'il en resta bouche bée.

« Et maintenant, croyez-vous l'être devenu avec votre crinière coquelicot ? Si je pense à tous les produits chimiques que votre tête a ingurgités, votre cervelle va bientôt exploser.

– Vous n'exagérez pas un tantinet ? À vous écouter, plus de la moitié de la population planétaire serait sur le point d'être dévastée, puisqu'elle se fout également une coloration dans les cheveux. Je ne me suis tout de même pas flanqué une bombe nucléaire sur le bourrichon !

– C'est tout comme. »

Œdipe s'efforça de ne pas éclater de rire devant la mimique scandalisée du mendiant

« Oh ! » lança Kevin, remarquant le livre qu'il tenait, « vous lisez en langue étrangère ? Du chinois, du latin, de l'égyptien ?

– Du grec. »

Le mendiant sursauta, puis s'esclaffa.

« Œdipe-Roi, j'imagine ?

– Dans le mille, fit Œdipe en rougissant.

– Elle est trop bonne. Laissez-moi regarder ces caractères étranges. »

Œdipe lui remit le livre à contrecœur. Il ne se souvenait plus comment cet ouvrage s'était retrouvé, un jour, dans sa bibliothèque, mais il y tenait comme à la prunelle de ses yeux.

« Voyons voir », dit Kevin, se conduisant tel un fin connaisseur de la langue grecque. « Puisque je suis un Tirésias des Temps modernes, mon don pour interpréter ces mots ne devrait pas me faire faux bon. Il doit même s'être affiné avec les années. Si je me souviens bien, Zeus avait donné seulement sept générations de vie à ce mendiant intersexué. Pauvre petit. Moi, j'en suis rendu à la combientième ? On doit s'y perdre dans les centaines, là…

– Vous déraisonnez toujours ainsi ?

– Oui, pour votre bon plaisir. Et comptez-vous chanceux que je sois là. Je vais vous traduire ce bouquin en un temps record.

– Pas besoin, je parle grec.

– Pardon ?

– Vous semblez douter de ma culture, fit Œdipe.

– Permettez-moi quand même d'être étonné, cher monsieur. Ce n'est pas parce que vous vous appelez Œdipe que le grec suinte par tous les pores de votre peau ! »

Kevin ouvrit la première page et sursauta.

« Étrange !

– Quoi ?

– Je lis le grec, moi aussi. Je vous l'ai dit que j'avais un don.

– Je ne vous crois pas.

– Mais, si. C'est écrit... euh... »

Œdipe arracha soudain le livre des mains de Kevin, sidéré par ce geste subit. Il quitta la chambre rapidement et s'enfuit en courant dans le corridor, le cœur en déroute.

10

❦

Qu'est-ce qui m'a pris, hier, de fuir? Maudit Œdipe-Roi! Je n'ai pas dormi de la nuit à cause de ce fichu livre!

Œdipe traversa la rue Finchley pour marcher sur le trottoir ensoleillé même si quelques nuages sombres masquaient le soleil par à-coups. Il s'arrêta un instant pour reprendre son souffle. Ses pieds refusaient d'avancer, comme si ses bottillons étaient remplis de pierrailles pointues. Il se traîna jusque chez le psychanalyste. En arrivant devant sa résidence, sa seule envie fut de faire demi-tour pour ne plus jamais y revenir.

Malgré son malaise, il s'engagea dans la petite allée, du côté droit de la maison. Pendant un long moment, il laissa sa main sur la poignée de porte avant de la tourner et d'entrer. Il descendit dans la salle d'attente et, au lieu de s'asseoir, fit les cent pas dans la pièce.

Kevin doit sûrement se questionner encore sur ma défilade. Merde! J'ai eu peur. Peur que la réalité ne rejoigne la fiction. Peur qu'il lise: Ce livre n'existe pas. D'évidence, ce fichu mendiant ne comprend pas le grec et il s'apprêtait, encore une fois, à me faire une blague de son cru. Pourquoi cette réaction? Qu'est-

ce que ce rêve a éveillé en moi pour que mon réflexe de panique soit si instinctif et que je confonde songe et réalité ?

La porte du bureau de consultation s'ouvrit. Sigmund invita Œdipe à entrer au moment même où celui-ci éprouva l'envie irrésistible de tourner les talons et de prendre la poudre d'escampette.

« Vous pouvez vous installer. »

Le psychanalyste regarda attentivement son patient. Un chagrin transformait ses traits. À peine étendu, Œdipe se redressa et s'assit sur le bord du lit-divan.

Il fondit en pleurs.

« Je... je ne vais pas bien, je suis au bout de moi-même... articula-t-il d'un ton ému.

– ...

– J'ai fait un cauchemar.

– ...

– Il y avait un livre. *Œdipe-Roi*, écrit en grec ancien.

– ...

– Sur la première page, j'ai lu cette inscription: *Ce livre n'existe pas.* J'ai pris peur. Tout comme moi, ce livre n'existe pas. Je ne suis personne... qu'un être invisible, comme sur la toile de Rembrandt. »

Œdipe poussa un soupir et demeura silencieux. Un bruit, dehors, le fit tressaillir. Il poursuivit:

« Impossible pour vous de me voir réellement. Je suis la mort sur laquelle vous me projetez vivant. »

Surpris, Sigmund se pencha doucement vers Œdipe et s'enquit:

« Que voulez-vous dire par : *je suis la mort sur laquelle vous me projetez vivant ?*

– Euh… bien, voilà… puisque je suis un être invisible, donc sans vie, vous projetez sur moi le vivant. Pour être plus clair, votre imaginaire prend mes paroles, mes mots pour façonner une représentation de ce que je pourrais être qui ne bouscule pas votre peur du néant. Mais, me percevez-vous réellement ? En ne reconnaissant pas la mort en vous-même, pouvez-vous reconnaître la mienne et m'aider à devenir vraiment vivant ?

– …

– Et puis, autant vous mentionner qu'il existe une erreur. Une grave erreur.

– De quelle erreur s'agit-il, Œdipe ? demanda Sigmund.

– Je suis l'erreur.

– …

– Je n'aurais pas dû venir au monde.

– Et pourquoi cela ?

– Parce que je ne devais pas venir au monde.

– …

– Je suis un être non désiré. Un non-vivant. Je vous l'ai dit…

« Voici la scène originelle : une soirée arrosée, un couple aviné et hop ! me voilà, semence malheureuse dans le jardin de ma mère. Conséquence ? Une tache rouge sur un drap lilial : un *je* qui se perdra plus tard dans l'idéalisation de la mère, de la femme, de la mère en la femme, de la femme en la mère… En tout cas...

« Après notre dernière rencontre, je suis resté longtemps en colère contre vous. J'ai détesté votre question : *qui, dans votre enfance, aurait voulu respirer loin de vous, Œdipe ?* Elle me ramenait à cette époque maudite où je n'étais qu'une personne à éliminer. Vous vous souvenez de la toile de Rembrandt?

– Bien sûr!

– Eh bien, je ne désire plus demeurer sur la première marche, trop près des premiers balbutiements… Vous comprenez?

– …

– Je veux monter. Non pas pour renier ma naissance, mais pour mieux en saisir le sens ainsi que son impact sur ce que je suis devenu. Je veux m'éloigner du sang et retrouver l'usage de mes pieds. Je veux respirer. Oui, respirer. C'est à mon tour.

« Par contre, si je grimpe au milieu de l'escalier, entre la lumière et la noirceur, je me retrouverai dans l'incertitude. Je souffrirai, un pied posé sur la marche d'une culpabilité diffuse et l'autre, sur celle de la honte. En déséquilibre de la sorte, comment pourrai-je espérer me rendre tout là-haut et m'unir à la vie? À moins que la mort n'y soit prédominante et que le combat soit plus rude que prévu. »

« Je suis fatigué… vraiment… vraiment fatigué », balbutia-t-il, au bout d'un moment.

Œdipe se tourna contre le mur et se recroquevilla sur le lit-divan. Il attrapa un des coussins et tenta d'y étouffer ses sanglots. Quelques minutes plus tard, la voix remplie de chagrin, il continua fébrile.

« Je pense encore à cette phrase: *Ce livre n'existe pas.* Comment puis-je comprendre cette information à la lumière de ma vie diurne? Je ne discuterai certainement pas de l'existence de l'ouvrage *Œdipe-Roi* de Sophocle, ce serait une aberration: des millions de personnes l'ont lu, dont moi qui le connais par cœur. Cette vision veut me dire quelque chose, mais quoi?

« Oh! J'oubliais un élément important concernant mon dernier rêve. C'est la Mort qui a échappé le livre devant moi », fit-il d'un ton faussement détaché.

Tout un oubli! songea Sigmund perplexe.

« Imaginez! La Mort est venue me démontrer que le livre le plus important de ma vie n'existe pas! Or, si ce livre n'existe pas, cela confirme que je ne suis rien. Le néant me renvoie à son image. Et pourtant, je suis le tissu, l'encre, le sang et la chair de cet ouvrage... »

Reviens ici et maintenant, eut envie de dire Sigmund à Œdipe. *Tu n'es pas cet Œdipe de l'ancien temps, écrit noir sur blanc dans un livre. Tu es dans ce bureau, avec toute ta souffrance.*

Il se demanda si son patient s'était condamné, pour le restant de ses jours, à vivre entre le rêve et l'éveil, à n'exister qu'entre deux frontières? Lui, Œdipe, avait-il une vie propre, un libre arbitre en dehors de ses fantaisies? Pouvait-il, à l'égal de tous les Œdipe de ce monde, ouvrir la porte à une nouvelle compréhension de son existence au lieu de demeurer rivé à celle illustrée par Sophocle?

« Pourquoi ne m'a-t-elle pas remis le livre entre les mains? Pourquoi l'a-t-elle fait tomber au sol? » s'enquit subitement Œdipe. Je suis une ombre... comme la Faucheuse.

« Parlant d'ombre, une nuit, j'ai fait un rêve particulier. C'était à Vienne, en 1938. Je ne cessais de répéter: *va jusqu'au bout! Va jusqu'au bout!* J'étais une silhouette, glissant le long des maisons, empruntant des ruelles sombres. Je me suis arrêté dans l'arrière-cour d'un immeuble de la rue Bergasse. Vous connaissez? C'est en Autriche, là où résidait Freud. Croyez-le ou non, j'étais un rôdeur. Plus encore, un cambrioleur. Mais, pas n'importe lequel! Un vrai de vrai... Enfin... plutôt un amateur, mais qui ne désirait pas reculer devant les obstacles.

« Comme dans tous bons films d'espionnage, j'ai lancé un grappin fichu d'une longue corde sur le toit du bâtiment et j'ai grimpé jusqu'à la fenêtre menant chez Freud. J'ai pénétré par effraction et je lui ai dérobé son livre, *Œdipe-Roi* de Sophocle, écrit en grec ancien. Freud en personne a surgi dans la pièce, me surprenant en pleine action. J'ai couru vers la fenêtre, descendu en rappel à une vitesse éclair et me suis enfui dans la nuit froide. Dans mon rêve, j'observais Freud découvrir le larcin. J'entendais même ses réflexions, ses craintes, ses interrogations… Après mon arrivée chez moi, je me suis étendu sur mon lit. Un vortex toujours plus rapide s'est mis à m'aspirer. Le temps s'étirait, se tordait, s'allongeait...

« Je me suis réveillé. »

Sigmund se souvint soudain de son propre livre de Sophocle qu'il ne retrouvait plus dans sa bibliothèque. *Étrange… Na! Qu'une coïncidence, voyons!*

« En examinant ce rêve, ce jour-là, j'ai pensé que mon vol constituait un acte de rébellion contre la trame principale de l'échafaud psychanalytique, vous savez, ce fameux complexe d'Œdipe. Mais, après mûre réflexion, j'ai finalement compris que je reprenais symboliquement une partie de ce qu'on m'avait subtilisé, une partie de ma vie avec laquelle je devais renouer. Et comme il ne s'agissait que d'une fraction, il me fallait aussi récupérer l'autre portion pour l'analyser et la transformer. Étant le seul psychanalyste à demeurer sur la rue Maresfield Garden où Freud a habité après son départ de Vienne, j'ai cru à un signe et j'ai décidé de vous téléphoner. Souverainement ridicule, mais pourquoi pas?

« Je suis convaincu qu'aucun hasard fortuit n'existe dans notre rencontre. Nous devions faire connaissance. Cela m'apparaît de plus en plus clair, mais pas pour vous, il va de soi. »

Vous seriez surpris, Œdipe, eut envie de dire Sigmund.

« Mon voyage est un retour aux origines — tout comme le saumon qui remonte la rivière échevelée. »

Sigmund sursauta. Œdipe avait encore mentionné : *un retour aux origines !* Existait-il un pont, finalement, entre eux ? Entre ses propres visions et le parcours de son patient ? *Comme il fait chaud dans cette pièce, tout à coup !* constata-t-il.

Le psychanalyste regarda sa montre.

« Œdipe, la rencontre est maintenant terminée. Je vous revois à notre prochain rendez-vous.

— Bien sûr, puisque je m'approche de la noirceur. »

Il se leva prestement et quitta le bureau en marmonnant un bonsoir rapide.

◆ ◆

Assise dans son lit, après une nuit de sommeil salutaire, Julia regardait les feuilles griffonnées de son écriture petite et serrée, étalées devant elle, sur sa tablette-genoux. L'histoire qu'elle portait en elle, dont elle ne connaissait nullement la direction ni même la conclusion, prenait forme. À l'inverse de nombreux écrivains malheureux, elle n'avait jamais expérimenté la fameuse panne d'inspiration que suscitait la page blanche. Elle ressentait une profonde gratitude pour cette bonne veine qui la suivait partout, au point de devoir traîner un cahier pour y inscrire ses pensées originales.

Pour Julia, son imaginaire émanait des déambulations de son esprit aux confins du possible et de l'impossible. Ses études sur le délai temporel et les mirages gravitationnels concouraient à orienter son imagination vers une écriture plus fantaisiste. Ne serait-ce que pour cette raison, elle continuerait d'approfondir ces matières.

Lors d'un premier jet, elle n'offrait jamais de censure à sa plume, lui donnant tous les droits de créativité. Advenant la publication d'un manuscrit, elle épurait le texte afin de ne pas blesser les gens ou pour éviter de les conduire à des gestes imprudents.

La seule perspective de s'évader vers le pays des mots soulevait en elle des élans de bonheur que nul ne pouvait connaître sans cette relation étroite avec eux. Elle ne faisait qu'un avec chacune de leurs sonorités, formes et images, se déplaçant à sa guise entre les métaphores et les représentations symboliques, décrivant avec minutie les ombres du passé et la quête du bonheur. Si elle désirait commencer un écrit par *floc*, mot qu'elle affectionnait pour aucune raison, elle utilisait le mot *floc*.

Floc fut le premier son qu'Eugène entendit à son réveil. Floc! Pourtant, il se rappelait avoir fermé le robinet bien serré, la veille, après sa dernière utilisation. D'où provenait ce floc-floc incessant?

Lorsqu'au détour d'une ruelle, elle voyait des enfants s'amuser, le rire grelot et le verbe folâtre, sa plume n'en finissait plus d'exécuter des arabesques élégantes dans son carnet de notes. Il s'agissait de fioritures joyeuses:

Le cœur épanoui et léger, les enfants du bonheur avancent à cloche-pied sur une marelle, laissant derrière eux une frange de jubilation atteignant les passants capables de jeunesse.

Quand des enfants au regard triste passaient devant elle, les fioritures se teintaient de mélancolie:

Ils se sont fabriqué un monde à part, un monde de beauté à l'abri des grondements de méfiance et d'hostilité des adultes. À la ligne de l'ennemi, les mômes progressent en toute innocence, avec, dans les yeux, des éclats de pureté et dans le cœur, un bagage de peurs. Soudain, une porte se referme brutalement sur leur nuit ; triomphe du mal et de la violence sur la délicatesse de l'enfance...

Julia respira à pleins poumons. Parfois, ses propres mots la troublaient, résonnant au plus profond d'elle-même.

L'écrivaine approcha sa plume gorgée d'encre vers une feuille accueillante. La pointe touchait à peine la surface lisse lorsque l'appareil téléphonique se mit à grésiller dans son appartement. Dans un synchronisme déroutant, quelqu'un martela la porte d'entrée comme s'il s'entêtait à enfoncer un clou rébarbatif dans un nœud de bois. Pourquoi n'appuyait-il pas sur la sonnette comme tout le monde ?

Julia refusa de quitter le doux cocon de son édredon entourant ses épaules, pour aller invectiver l'imposteur qui la dérangeait dans son précieux moment de créativité. Qui pouvait bien ennuyer ainsi les gens, un samedi matin oisif, alors que la pâle lumière du jour commençait tout juste à poindre sur la ligne d'horizon ?

MISÉRICORDE ! s'écria Julia devant l'insistance zélée du piocheur et au moment où la sonnerie du téléphone cessa de trancher le silence.

Elle dégagea sa table de travail, repoussa à regret sa chaude couette de duvet et attrapa sa robe de chambre négligemment déposée sur sa chaise berçante. *Qu'est-ce que ce remue-ménage ? Il est à peine huit heures !*

À moitié furieuse, à moitié curieuse, elle se dirigea vers le hall d'entrée. En ouvrant la porte, l'étonnement se peignit sur son visage. Œdipe se tenait devant elle, les yeux pétillants, un bouquet de fleurs multicolores en main.

« Hum ! À voir votre stupéfaction, nul doute, vous avez oublié notre rendez-vous matinal.

– Dieu du ciel ! Ne sommes-nous pas samedi ?

– Désolé de vous apprendre qu'une journée vous a échappé et que vous ne la retrouverez jamais, perdue qu'elle est, désormais, dans l'espace sidéral. Nous sommes dimanche et nous avons une réservation pour le train vers la Mer du Nord. »

Julia demeura un instant bouche bée. Puis, calmant son esprit, elle mentionna sur un ton empreint de regret :

« Je suis navrée de mon oubli, veuillez me pardonner. J'ai perdu le fil du temps. Je vous en prie, entrez avant de devenir une stalagmite à ma porte, surtout que le froid de notre hiver est insupportable.

– D'accord, dit-il en lui tendant le bouquet. Voici une gerbe de fleurs pour égayer votre journée.

– Quelle délicatesse ! Elles sont magnifiques ! Un gros merci pour votre générosité. Je vais vous servir un café et m'habiller en vitesse.

– Non, ça va. J'ai pris ma dose ce matin. Et ne vous pressez pas à ce point, nous avons encore une bonne demi-heure devant nous. C'est plus que suffisant pour nous rendre au terminal.

– Vous avez raison. »

Julia lui sourit. Malgré ses recommandations, elle gagna la cuisine à toute allure, prépara les fleurs, les déposa au petit bonheur dans un vase qu'elle remplit à moitié d'eau et se dirigea vers sa chambre. Elle enfila un chandail bleu ouatiné et un *blue-jean* délavé, se maquilla légèrement et empoigna son sac à main sur son bureau.

Julia entra en coup de vent dans le salon aux boiseries ourlées. Œdipe, assis sur son canapé d'époque Louis XV, couleur vieux rose — hérité d'une copine convertie au modernisme —, feuilletait distraitement une revue scientifique portant sur le cerveau. Elle adorait en apprendre toujours davantage sur cette partie du corps ; gare Centrale d'où partent, se croisent et se rencontrent des milliards de données. Ces informations, des points de vue biologique, développemental, comportemental et intellectuel, l'aidaient à mieux saisir l'être humain dans toutes ses sphères de fonctionnement.

Sympa, ce type! pensa-t-elle en le regardant.

Remarquant sa toilette soignée et plutôt chic, elle se demanda si son allure débraillée ne lui causerait pas ombrage. De toute évidence, la tenue d'Œdipe ne semblait pas appropriée pour aller déambuler sur une plage en plein hiver.

Elle s'apprêtait à tourner les talons, lorsqu'elle l'entendit lui dire: *vous êtes ravissante*. Une rougeur envahit son visage qu'elle aurait bien aimé dissimuler à son regard. En quoi pouvait-elle être ravissante dans son habillement décontracté, à l'opposé du sien quasi aristocratique?

« Je suis prête, si vous m'acceptez dans mes vieux chiffons.

– Vos vieux chiffons, comme vous le dites, semblent vous mettre à l'aise et confortable. J'aime mieux votre allure dégagée et sportive qu'une crispée et raidie qui modifierait votre gestuelle et votre maintien. Apparemment, la simplicité est l'habit des gens heureux. Cela dit, même les personnes au comble du bonheur choisissent, à l'occasion, de briller dans des habits d'apparat. Parfaitement sain, à mon avis! C'est plutôt l'excès dans le soin de l'image qui parle davantage des désirs de plaire et d'être aimé.

– Vous avez donc tant besoin d'être aimé? s'enquit Julia sans réfléchir. Oh! Pardonnez-moi! Loin de moi l'idée... »

Devant son air hébété, le rire sans retenue d'Œdipe fusa dans la pièce et vint la rassurer.

« Surtout, ne vous excusez pas. Dans la spontanéité émerge la vérité que s'acharnent à taire les convenances sociales. Cela dit, qu'est-ce qu'il a mon habillement?

– Un relent d'ancien temps ?

– Et quoi encore ?

– Une noblesse empreinte d'une dignité royale ?

– D'accord.

– Une allure de contestataire intellectuel ?

– Hum...

– Il semble aussi évoquer une certaine recherche... un désir d'être aimé... finalement, risqua-t-elle, sur la pointe des mots.

– On y revient. Euh... Que diriez-vous de nous diriger tranquillement vers la gare ? suggéra Œdipe.

– Détournement de la pensée !

– J'ajouterai donc : pour que, déambulant le nez dans le vent, nous puissions décortiquer le sujet préoccupant et brûlant de mon habillement.

– C'est mieux. J'accepte avec grand plaisir. »

Ils marchèrent plutôt en silence, une lueur de gaieté dans les yeux. Durant le trajet, vers la Mer du Nord, seuls quelques mots furent échangés, perdus qu'ils étaient dans le paysage qui défilait devant eux.

À leur arrivée sur la grève, après avoir enjambé quelques obstacles pierreux, Œdipe sentit le vent du large mordre sa peau. Un chandail plus chaud sous son vêtement d'extérieur lui aurait sans doute fait apprécier davantage les menus détails de la scène magnifique qui s'étendait à perte de vue.

Julia, à ses côtés, respirait goulûment l'air chargé d'odeurs de sel et de varech tout en observant les vagues venir soupirer sur le rivage. Parfois, son regard s'absorbait dans le ciel pommelé qui terminait sa descente dans une mer au dos légèrement moutonné. D'autres fois, elle s'émerveillait devant les mouettes endormies ou tétanisées, taches blanches et grisâtres émaillant la plage, les plumes redressées par le vent comme si elles portaient un manteau à col.

« C'est donc ici, Julia, que l'inspiration s'échappe de la nature pour venir remplir les petites cloisons ouvertes de votre esprit.

— Tout à fait.

— Les adaptez-vous afin de plaire à un public?

— Grand dieu, non! Je suis une libre penseuse. Si j'ai envie d'écrire des inepties, je m'exécute. Si l'irrépressible désir d'inventer des mots me *tarabouscule* et *magiemenchante*, alors je les invente. Ma plume trempe aux sourires ou aux peines de la vie, indifférente aussi bien aux qu'en-dira-t-on qu'à l'opinion publique. Ma manière de penser et d'écrire est totalement libre, même le choix de livrer ou non, en tout ou en partie, le fruit de mon labeur. Cela dit, je ne suis pas insensible. Au contraire. Après la rédaction de mon ouvrage, quand le livre est rendu public, adviennent des critiques, bonnes ou mauvaises dans les médias, et me voilà piégée dans l'univers des émotions. Rien de nouveau sous le ciel des artistes. Indifférence, oui, tant que je suis avec mon produit, chez moi... Mais, qu'un journaliste s'aventure d'en parler à ciel ouvert et voilà que je m'accroche à ses mots comme s'ils étaient les plus précieux au monde. Selon le cas, je descends en enfer ou je monte au ciel. Au fait, qui a décidé que l'enfer était en bas? Peut-être est-il droit devant, en arrière, de biais... Et le ciel? Peut-être marchons-nous la tête en bas et nous ne le savons même pas!

— Vous êtes une femme étonnante. »

Julia le regarda avec intensité. Elle se pencha vers son sac à main d'où elle retira sa plume et son cahier. D'un geste lent, elle l'ouvrit et nota devant lui:

Oh, Œdipe! Oseras-tu te rendre au bout de ta quête, là où la vérité la plus pure te convaincra d'arracher ton masque pour offrir ton vrai visage? Puisses-tu, un jour, dénouer ton paradoxe entre le réel et le fictif...

« Vous me voyez sidéré, Julia. Comment faites-vous pour être si... si juste? balbutia Œdipe.

— Réponse facile: nous sommes tous semblables, à quelques exceptions près. Nous vivons des dilemmes similaires à travers des histoires distinctes. Pensez-y! Ce que j'écris pourrait facilement s'appliquer à n'importe qui, vous, moi et les autres. Nous fréquentons tous le même chemin de la vie sur lequel nous nous rencontrons ou nous nous fuyons. Nous posons les pieds mille fois où ils ont déjà été posés.

« Qui n'a pas connu la crainte, la honte, la solitude? Qui ne s'est pas questionné, au moins une fois sur le sens de son passage sur la terre? Qui n'a pas connu un mouvement de violence envers l'autre, en geste, en parole ou en pensée? Qui n'a pas fui devant ses malheurs? Qui n'a pas saisi une occasion d'être bon envers un malheureux? Qui n'a jamais pu alléger, comme il l'aurait voulu, les souffrances d'un être cher ou les siennes propres? Qui n'a pas connu des matins heureux et des fous rires contagieux? Certains vivent leur expérience brillamment, quelques-uns, peureusement et d'autres, rondement. »

Des mouettes s'ébrouèrent, se mirent à crier, puis, après quelques pas nerveux sur la plage, retournèrent à leur léthargie. Les yeux remplis de joie, Julia regarda les bois d'épaves, les coquillages et les petits oursins maquillant de beauté le sable fin.

« J'aimerais partager quelque chose avec vous, Julia, annonça Œdipe au bout d'un moment.

— Je vous écoute.

— Le soir de Noël, au restaurant, j'ai eu un moment vertigineux de panique.

– Oui, oui. Je me souviens. J'ai bien remarqué votre visage pâlir. Je me suis même demandé si vous n'alliez pas tomber sans connaissance en me laissant seule avec les crevettes...

– Comique !

– Que s'est-il passé, Œdipe ?

– J'ai eu une sorte de vision. Vous étiez au-dessus de moi. Vous m'écriviez. J'ai eu la soudaine et désagréable impression de ne plus avoir d'identité propre, déjà qu'elle est très floue.

– Je pourrais interpréter cela de différentes manières.

– Allez-y, je vous en prie.

– Il serait préférable que vous me disiez d'abord ce que vous en pensez.

– Je n'en ai honnêtement aucune idée.

– Un petit soupçon ?

– Pas vraiment.

– Hum… j'en doute, mais je vais quand même vous soumettre mes hypothèses. Elles peuvent être aussi fausses que des oracles. »

Œdipe sursauta. Julia n'en tint pas compte.

« Vous dites que j'étais au-dessus de vous… je suis donc un peu immatérielle à vos yeux, légère, un étrange personnage qui se nourrit de l'invisible pour pondre ses romans. Je suis aussi celle qui semble vous lire et vous écrire, qui aurait un certain ascendant ou une autorité sur vous. J'émets des hypothèses, rappelez-vous… Maintenant, ce "au-dessus de moi" semble me placer en position de supériorité par rapport à vous. Comme si vous n'aviez rien à dire sur votre destinée et que seul un écrivain pourrait en déterminer l'issue. Et cette personne, par surcroît, est une femme qui…, euh… dans les circonstances, pourrait être votre mère, car, faisant référence à l'échelle d'âge, je suis *au-dessus* de vous. »

Œdipe devint livide, mais impuissant à émettre un seul mot. Il l'écouta attentivement, l'estomac serré.

« J'admets que, dans votre cas, puisque votre nom se promène dans le sillage d'écrits de Sophocle, votre rêve ou votre vision peut conduire à des interprétations assez inusitées. N'ayez de crainte. Je ne suis pas votre mère. Cependant, je n'ai pas dit que vous ne projetiez pas cette image sur moi... »

Œdipe tressaillit de nouveau.

« En ce qui concerne votre impression de ne plus avoir d'identité propre, je crois plutôt que vous êtes en recherche et vous souhaite ardemment d'arriver à destination. Finalement, vos images parlent peut-être de votre propre imaginaire, de votre manière d'être en relation avec moi, et aussi... d'un sentiment d'infériorité. »

Œdipe resta songeur. Julia n'aurait pu décrire plus clairement ce qui, en lui, demeurait brumeux, nébuleux à la suite de cet épisode insolite dans le restaurant. Un long frisson le parcourut. Il ne savait guère s'il émanait de la peur ou de la crainte des mots prononcés. Il aurait à réfléchir longuement à ses paroles.

Le voyant grelotter, Julia lui annonça :

« J'ai un petit cadeau pour vous... »

Elle sortit un cardigan de laine de son grand fourre-tout et le remit à Œdipe, frigorifié.

« Je suis bouche bée devant votre prévenance ! Merci, Julia. Vous êtes remarquable, déclara-t-il surpris et reconnaissant.

— Tut ! Pas remarquable, mais conséquente. »

Il retira son manteau, enfila le tricot et remis son pardessus. D'un ton gêné, il déclara :

« Puis-je vous avouer que je suis à développer un lien avec vous ?

– Œdipe, vous ne pouvez empêcher un lien de se créer, vous pouvez toutefois lui donner une nouvelle forme. Car, en ce qui me concerne, s'il sert l'amitié, je suis entièrement d'accord à l'approfondir, mais pas davantage. Nos affinités sont grandes et réjouissantes. D'ailleurs, peut-être serait-ce intéressant, pour vous, d'entreprendre un cheminement sur une route moins achalandée, en évitant celle trop souvent obstruée du sentiment amoureux. Quel moyen différent d'apprendre à connaître ses failles et ses obstacles dans la relation à l'autre !

– Qu'est-ce que vous voulez dire ?

– … »

Le silence de Julia à cette question l'incita à revenir en lui-même.

« Oh ! Je crois comprendre », affirma-t-il au bout d'un moment.

Elle doit faire référence au mythe d'Œdipe-Roi, comme tout le monde... Néanmoins, si je ne m'enlise pas dans une relation amoureuse, les chances de défier mon propre sort pourraient m'amener vers la fameuse bretelle d'autoroute que je cherche tant. Peut-être s'agit-il d'apprivoiser un lien d'amitié, ne serait-ce qu'un seul, pour voir où il mènera. Les attaches ne conduisent probablement pas toutes à la perte, à la mort...

Un vent d'espoir souffla sur Œdipe. Pourtant, alors qu'il aurait dû se sentir complètement heureux, une grande tristesse s'imposa en lui. Cette proposition représentait-elle une ruse du destin pour l'amener là où il ne voulait pas ?

Non ! N'exagère pas ! Il y a paranoïaque et paranoïaque !

Il pensa à sa cure analytique. Avec de la chance, dans un avenir rapproché, il ouvrira graduellement la lumière dans le grenier. Graduellement. En cas de panique, un simple geste devrait pouvoir le plonger de nouveau dans la noirceur, dans le connu, avant de s'adapter à une lueur plus grande, toujours plus grande encore…

À cette pensée, son cœur se mit à battre plus vite. Une peur sourde, instinctive…

Il regarda Julia. Elle lui souriait gentiment.

◆ ◆

Seul, transi sur le pont, il vit une lame s'approcher en mugissant, prête à s'abattre sur le voilier ivre pour le couvrir de son implacable fatalité. Soudain, la mer ouvrit la bouche, bava une salive écumeuse et avala le bateau…

Sigmund se réveilla en sursaut, une sueur moite sur son corps, le cœur tambourinant à toute vitesse dans sa poitrine. Deux heures seize du matin! Une fois de plus, la force terrifiante de la tempête de son adolescence avait traversé les années pour venir déchirer le voile de ses nuits: innombrables cauchemars du genre, depuis ses quinze ans.

Des sanglots cherchèrent à s'exprimer, cependant, les résistances de Sigmund en obstruèrent l'émergence. Il étendit le bras et alluma sa lampe, se demandant si la lumière illuminerait également ses ombres intérieures pour y faire lever l'aurore. Il l'éteignit aussitôt, mais fut incapable de retrouver le sommeil.

En promenant ses yeux sur le plafond, où les rayons de lune s'amusaient à dessiner des formes sur sa surface lisse, une idée germa dans son esprit. Elle devint si entêtante qu'elle le poussa à l'action.

Le médecin rabattit sa couverture, ralluma sa lampe, se pencha vers sa table de chevet et attrapa plusieurs feuilles volantes ainsi que son stylo à encre, toujours disponibles pour la consignation de ses rêves au petit matin. Il se leva, enfila sa robe de chambre, mit ses pantoufles et se dirigea vers la bibliothèque.

La maison était silencieuse. Zigzag, sortant de nulle part, émit un léger miaulement, s'étira et le suivit tout endormi. Dès que Sigmund s'installa à sa table de travail, il sauta sur le divan et, avec ses deux pattes d'en avant, tapota l'emplacement choisi pour son roupillon avant de s'allonger et de s'endormir.

Sigmund, tendu, savait exactement ce qu'il devait faire: écrire une lettre à son ancien copain. Un certain affolement le gagnait à l'idée de communiquer avec celui qui, des années plus tôt, avait fermé la porte à leur amitié en raison de sa douleur intolérable. Mais, il ne reculerait pas devant cette tentative de rapprochement.

L'exécution du premier paragraphe fut des plus laborieuses. Les mots sortaient péniblement et, après chacune de ses relectures, il froissait le papier, le jetait à la poubelle et recommençait une nouvelle lettre.

Finalement, au bout d'un temps interminable, il se laissa porter par les émotions qui l'animaient secrètement.

Cher Andrew!

Même si je sais que le premier réflexe, en ouvrant une lettre, est de vérifier la signature de l'expéditeur, d'entrée de jeu, je te mentionne que je suis Sigmund Dorland. Je t'écris pour tenter une démarche de réconciliation avec toi. Si tu ne désires pas poursuivre cette lecture, je t'en prie, déchire ces quelques pages. Par contre, j'aimerais que tu me donnes cette chance de te dire ce qui, dans mon existence, demeure aussi instable que les reflets de la lune sur les flots.

Il y a très longtemps, lors de ton départ précipité de l'hôpital, la terre a subitement arrêté de tourner. Depuis cette séparation, mon cœur bat à moitié dans ma poitrine et les rivières ne roucoulent plus à mes oreilles. Certes, les années ont aussi coulé des bonheurs sur ma vie, néanmoins elles ne m'ont jamais permis d'oublier le lien déchiré abruptement entre nous.

Après la disparition de ton père, mon quotidien s'est enlisé dans des peurs insurmontables. Ma raison a tenté de saisir l'insaisissable, de trouver les mots pour expliquer le drame, mais je me suis abîmé dans une honte et une culpabilité sans fond.

Durant mes années d'études en médecine et en psychanalyse, j'ai cherché à comprendre cet accident terrible pour le déposséder de son emprise sur moi. Impossible. Je l'abordais de manière intellectuelle, refusant de l'approcher autrement. Ton visage me revenait sans cesse à l'esprit, celui où toute étincelle de joie avait disparu. Maintenant, je sais que la douleur fulgurante se lit dans les yeux d'une personne. Elle arrache pour toujours, à celui qui la regarde, l'innocence de l'enfant, qui croyait que la vie était belle et magique.

Je frémis à la seule pensée de toutes ces années de froid qu'ont dû être les tiennes, à cette épreuve atroce pour ton âme orpheline de père.

Jamais je n'ai pu me résigner à poser une croix définitive sur cet évènement funeste qui a vu ton cœur éclater en morceaux. Toutefois, je l'ai occulté sciemment pour ne pas souffrir davantage. Aucune thérapie ne m'a permis d'azurer mon ciel ou d'émettre le cri déchirant de mon désespoir barricadé toujours au plus profond de ma nuit. Peut-être sera-t-il mon dernier son avant de quitter cette terre…

Pendant de longues années, quelque chose a arrêté mon élan vers la lumière. Le gouffre m'attirait ; ce gouffre que les jeux du destin ont ouvert implacablement, une certaine journée d'été… À l'intérieur de moi résident encore le mal de mer, le mal de père, le mal d'ami, le mal du souvenir, le mal de vivre, le mal de toi, le mal de nous... J'aimerais, un jour, plonger dans mes recoins obscurs pour en assainir les souffrances.

J'ai respecté en tout temps ton besoin fondamental de retrait, mais ta présence invisible continue de marcher à mes côtés. Dernièrement, tes pas sont devenus plus forts. Je les entends de jour comme de nuit. Aujourd'hui, je décide d'aller à ta rencontre, de joindre mon pas au tien. Mon geste déclenchera-t-il une plus grande division entre nous ? Une totale indifférence ? J'espère que non, car, dans le secret de mon être, je souhaite un pont jeté entre nos deux rives, des retrouvailles de nos âmes... Je voudrais que toi et moi puissions être là, juste là, en présence l'un de l'autre. Rien de plus.

Jamais, Andrew, au cours de toutes ces années passées, je ne t'ai oublié ; frère de jeux, d'esprit, de bonheur et de complicité. Dans un lieu bien spécial de mon esprit, j'ai encadré nos moments de vie, pour me rappeler qu'ils avaient bel et bien existé avant la tragédie.

Je ne veux pas revenir sur ce moment cruel, ce jour fatidique dans le seul but d'en raviver la douleur. Je ne souhaite pas, non plus, te sortir de ce lieu où ton cœur prend peut-être refuge, si ton désir ne correspond pas au mien, celui de te revoir...

Si j'ose saisir la plume, c'est que j'apprends à grandir, malgré mon âge touchant le gris des nuages. J'espère, un jour, en venir à la pleine certitude de ne pas être responsable des nombreux problèmes rencontrés ce jour-là, en haute mer : les conditions météorologiques hostiles, le soulèvement de la nature, le démâtage, la fatigue m'ayant empêché de retenir ton père de la dernière vague qui l'a emporté... Depuis, le mot « responsable » s'écrit en des lettres si grosses dans ma conscience, que je me sens encore écrasé par leurs poids.

Aujourd'hui, Andrew, je me demande si j'étais fautif ? Si tu crois véritablement que j'ai failli à ma tâche et que j'ai manqué totalement de discernement lors de la disparition de ton père, je l'assumerai jusqu'à la fin de mes jours. Sinon, la nécessité de revoir cet évènement sous une perspective nouvelle s'impose pour retrouver la paix, autant la tienne que la mienne. Et pour cela, j'ai besoin de ton aide. J'aspire à connaître ton point de vue, à saisir le déroulement et le « pourquoi » de ce drame brutal dans notre vie. Tu avais quatorze ans et demi, Andrew… Pourquoi cette catastrophe à l'aube de ta vie d'adulte ? Pourquoi la tempête ? Pourquoi la mort ? POURQUOI ?

Ce jour-là, tes notes joyeuses se sont tues et la musique de ton âme a joué son ton le plus aigu, le plus tranchant avant de s'estomper dans la profonde souffrance... Nos amarres ont été brisées et tu te promènes, maintenant, quelque part sur un sol dont je ne connais ni la surface ni les reliefs.

Avant de terminer, je veux ajouter que j'ai honte de cette brisure qui porte la signature possible de mon inconséquence. Je dis bien possible, parce que mes yeux se voilent de moins en moins du brouillard de la peur, ce qui me permet d'objectiver davantage ces heures infernales vécues ensemble.

Puis-je et dois-je questionner ce temps révolu qui s'est refermé sur son mystère ? Je ne sais pas vraiment. Ce que j'espère, c'est que la terre tournera de nouveau en douceur dans ma vie, dans un espace libéré de ses reliquats de peur, de honte et de culpabilité.

Retrouvons-nous, si tu le désires également, sur le quai de la marina, le seize juin prochain, à vingt heures. Je t'y donne rendez-vous… Y seras-tu ?

En terminant, Andrew, laisse-moi t'écrire les mots que mon cœur porte depuis que nos chemins se sont séparés : MERCI d'avoir été mon meilleur ami.

Sigmund

Le psychanalyste, remué, déposa son crayon, mit la lettre de côté et s'effondra sur sa table de travail. Les écluses fermées, depuis tant d'années, s'ouvrirent et déversèrent leur contenu sur le bois vernissé. Il pleura longtemps.

La gorge serrée, le souffle court, il se releva.

Allait-il poster la lettre à Andrew, dont il connaissait l'adresse postale depuis belle lurette ? L'important n'était-il pas tout simplement la délivrance du cœur ? Et s'il lui acheminait ce pli, comment le recevrait-il ?

Dans un geste solennel, Sigmund plia la missive et la glissa dans l'enveloppe déjà adressée. Il avait envie de défier le sort… Demain, à la pointe du jour, il irait la déposer dans la boîte aux lettres.

Il retourna se coucher, le cœur plus léger.

Une larme se faufila entre ses paupières fermées et roula sur sa joue...

Au crépuscule du soir

La séance débuta pourtant comme toutes les précédentes. Œdipe donna une poignée de main à Sigmund, fit un arrêt devant la toile aux saumons puis s'allongea sur le lit-divan.

D'évidence, il n'allait pas bien. Sa respiration étroite et sifflante démontrait qu'un malaise intense le dévorait par en dedans. À peine étendu, il entra dans une sorte de catharsis: tremblant, pleurant et gémissant.

« Sigmund! Aidez-moi! Je suis dans le grenier, lança-t-il la voix suraiguë, au bord de la panique.

– Pouvez-vous m'en dire davantage, Œdipe? » demanda le psychanalyste, attentif à l'émoi de son client qui, dès les premiers mots énoncés, reprenait son élaboration à partir de la peinture de Rembrandt.

« Il y a… une masse noire, répondit son patient, nerveux.

– …

– *Une femme est étendue sur le sol…*

– *…*

– *Elle est morte…*

– *…*

– *Je ne la vois pas bien, mais je suis certain de la connaître. En fait, je ne sais pas…*

– *…*

– *Elle porte des vêtements ébène… »*

Œdipe se mit à geindre de plus belle. Son désespoir toucha Sigmund, le fit frémir.

« Je… »

Des sanglots convulsifs et de forts tremblements agitaient son être, pareil aux feuilles d'un saule pleureur secouées par le vent.

« J'entends un bruit lointain.

– *…*

– *Une foule me scande des mots grossiers…*

– *…*

– *On m'en veut…*

– *…*

– *Je l'ai tuée. Vous comprenez Sigmund : JE L'AI TUÉE !*

– *Qui avez-vous tué, Œdipe ?*

– *J'ai tué ma mère, dit-il d'une voix toute tremblante. J'ai froid.*

– *…*

– *C'est ma faute…*

– *…*

– *À cause de moi, elle est morte.*

– *Comment avez-vous tué votre mère, Œdipe ?*

– *En refusant le destin.*

– *Mais, n'est-ce pas votre but, depuis nos premières rencontres, de refuser votre destin préétabli pour en constituer un nouveau ?*

– *Oui. Mais, il m'a rattrapé. Je suis né pour le plus grand malheur de ma mère. À la seconde où j'ai été conçu, ce fut le début de son déclin.*

– *À quel moment, Œdipe, est-elle décédée ?*

– *Au moment de me reconnaître comme son fils.*

– *Ne savait-elle pas que vous étiez son fils ?*

– *Non. Elle m'avait oublié.*

– *Comment pouvait-elle vous avoir oublié ?*

– *Elle m'a rayé de son cœur le jour où elle m'a abandonné.*

– *…*

– *Ne vous méprenez pas, elle était à mille lieues d'être la mère idéale. Elle m'a refusé toute affection durant mes premiers jours, pour ensuite me délaisser sur le Mont asséché de sa haine, sans aucune issue pour échapper à mon triste sort. Ne pouvant boire à sa source, je ne pouvais que mourir loin d'elle.*

– *…*

– *J'ai dû faire quelque chose de terrible, à cette époque, pour qu'elle disparaisse. Mais, puisque j'en étais la cause, je méritais sûrement de mourir…*

– *…*

– *J'ai été exposé au froid de son absence, à la faim et la soif de sa présence ainsi qu'aux loups et vautours de la vie…*

— …

— *Et maintenant, après toutes ces années de désertion, elle revient vers moi et se donne la mort…*

— …

— *Aidez-moi, Sigmund. Elle est là, dans le grenier, étendue, gisante, morte.*

— …

— *C'est ma faute.*

— …

— *Je n'ai pas réussi à détourner le destin qui m'avait prédit sa mort.*

— …

— *Non. Pas la mort de mon père, mais bien celle de ma mère. Car, inévitablement, ultimement, tout conduisait à sa perte.*

— …

— *J'ai gravi l'escalier de bois et, là-haut, la femme était morte.*

— …

— *Ne subsistait que l'odeur de la souillure, du déshonneur…*

— …

— *Je voudrais crier…*

— …

— *Jamais la lumière ne pourra se rallumer sur ma vie. Je suis un monstre.*

— …

— *Pire, je ne suis personne. Le livre de ma vie, celui auquel j'ai cru, n'existe pas, sinon que dans mon esprit perturbé qui*

désire reconstituer mon passé d'une manière différente. J'aime-
rais réparer mes erreurs, mais je ne peux les affronter directe-
ment...

    – ...

    – *La Faucheuse ne pouvait me toucher parce que je suis un*
être déjà mort.

    – ...

    – *Vous ne pouvez pas me voir, je suis invisible... invisible...*
invisible...

    – ...

    – *Et je ne veux pas que vous me voyiez. Jamais.*

    – ...

    – *Sigmund ? ÊTES-VOUS LÀ ? NE PARTEZ PAS... »*

Œdipe se réveilla de son cauchemar, en sueur. Vingt et une heures ! Il s'était couché très tôt et, à peine endormi, son écran de rêves s'était allumé, le projetant dans un livre dont chaque mot reflétait symboliquement son vécu. Pourquoi les ouvrages, autant fictifs que réels, exerçaient-ils une influence si cruciale et déterminante dans sa vie ?

Le cœur serré, les mains moites, Œdipe tenta de se rendormir, mais le sommeil le fuyait. Dehors, la lune était pleine, belle, mystique, sereine. Elle inondait la ville de sa brillance.

Il se mit à penser à Julia, l'écrivaine mystérieuse, à Kevin, le mendiant remarquablement intelligent, à Sigmund, le psychanalyste doué et sensible... *que sera mon lendemain avec chacun d'eux ? Quel sera mon avenir tout court ? Saurai-je délimiter mon existence et lui donner une direction pour que mon cœur batte vigoureusement et harmonieusement loin de la tragédie ? Parviendrai-je à dire ce qui me trouble tant ? Pourrai-je saisir l'impact de Sophocle dans ma vie ? Découvrirai-je comment ce fameux livre d'Œdipe-Roi, écrit en grec ancien, est apparu dans ma bibliothèque ? Et surtout, saurai-je trouver une réponse à cette question fondamentale : qui suis-je ?*

Au crépuscule
du matin

« *Retourne aux origines, retourne aux origines.*

– Ne partez pas. Dites-moi comment faire pour retourner aux origines ? Ce serait plus simple si vous me donniez un indice. Un tout petit. Depuis des mois, vous me répétez ce message, mais en vain, puisque je me trouve toujours à la ligne de départ. »

Le heurtoir de la porte d'entrée se fit entendre, arrêtant abruptement la vision de Sigmund. Il se leva à contrecœur, furieux d'être interrompu au moment où une solution à cette énigme allait peut-être survenir…

Zut de zut ! Il n'est que sept heures du matin !

En enfilant sa robe de chambre, il se surprit à ébaucher un sourire. Une petite fantaisie lui vint à l'esprit. Et si le colporteur de l'aube était la réponse à sa question ?

Il se dirigea vers le portique et ouvrit prudemment la porte. Un bel homme aux tempes grisonnantes se tenait sur le seuil, les yeux humides.

« Bonjour, je suis Andrew. »

À SUIVRE...

LE MIROIR D'UN MOMENT

Il dissipe le jour,

Il montre aux hommes les images déliées de l'apparence,

Il enlève aux hommes la possibilité de se distraire.

Il est dur comme la pierre,

La pierre informe,

La pierre du mouvement et de la vue,

Et son éclat est tel que toutes les armures, tous les masques
sont faussés.

Ce que la main a pris dédaigne même
de prendre la forme de la main,

Ce qui a été compris n'existe plus,

L'oiseau est confondu avec le vent,

Le ciel avec sa vérité,

L'homme avec sa réalité.

Capitale de la douleur
de Paul Éluard
Paris, Poésic/Gallimard, 1966, page 133

Remerciements

À Diane et à Hugo, mes chéris, pour votre courage et ténacité. Bravo de croire qu'il y a toujours mieux, au-delà de l'épreuve, au-delà de la ligne du destin. Je vous aime.

À Marie-Josée Plouffe, douce et exceptionnelle artiste, qui a saisi mes mots pour les peindre dans un entrelacement de sensibilité et de finesse.

À Claude, pour ton œil vif sur mes textes, à la toute dernière minute, et ton sens de l'humour durant le processus.

À Édith Bertrand, psychoéducatrice, à Marie Normandin, psychanalyste, et à la D^{re} Marie-Claude Argant Le Clair, psychologue et psychanalyste : trois femmes de cœur, qui ont généreusement accepté de faire une lecture sensible de mon manuscrit. Toute ma reconnaissance pour votre regard respectueux sur cette création et la justesse de vos observations.

À Mathieu Béliveau, éditeur, pour la confiance accordée dès le premier jour de notre rencontre de même que pour ton dynamisme et la belle simplicité qui te caractérisent.

À Raymond Dufresne, directeur commercial chez Béliveau Éditeur, qui, il y a deux ans, au Salon du livre de Montréal, me demandait d'écrire un ouvrage pour cette maison d'édition. Ta confiance inébranlable en moi ainsi que la chaleur constante de tes encouragements dans nos communications téléphoniques m'ont permis de mener à terme ce projet. MERCI pour le sourire dans ta voix et ton humour pétillant.

À tous les psychanalystes et psychologues ayant participé à mon émission de radio, par le biais desquels j'ai appris énormément.

À Vincent Delmas, pour la « *sérendipité* » et tes étoiles éclairantes. Tu es un ange.

À Vayos Liapis, professeur agrégé du Département de philosophie de l'Université de Montréal (langue et littérature grecque antique) pour la recherche du livre *Œdipe-Roi*, en grec ancien, publié avant 1939, sans traduction ni annotations. Défi toujours en vigueur…

Et tout particulièrement à K., d'abord pour ta présence indéfectible, même quand je la croyais fléchir (ça m'appartient) et qui, en guérissant toi-même, m'a démontré l'importance des choix dans la vie. Je remplirai ma part de pacte tel que promis... Merci pour ta lecture ciselée du manuscrit. Que d'erreurs de parcours évitées grâce à toi ! Tu es unique et précieux.

RÉSUMÉ DE LA TRAGÉDIE

Tiré de : SOPHOCLE, *Œdipe-Roi*
Paris, Le Livre de Poche, 1996

La ville de Thèbes est ravagée par la peste. Pour y mettre un terme, les oracles persuadent Œdipe de découvrir et punir l'assassin de Laïos, l'ancien roi dont Œdipe a épousé la veuve, Jocaste. Ces mêmes oracles avaient déjà prédit à Laïos et Œdipe deux destins funestes : le premier serait tué par son fils, le second assassinerait son père et épouserait sa mère. Pour conjurer son destin, Laïos a abandonné à la mort son fils unique. Les déclarations de Créon, beau-frère d'Œdipe, et celles du devin Tirésias éveillent pourtant les soupçons du nouveau roi. Il apprend qu'il est à la fois le fils de Laïos et son assassin, et que les Dieux ne s'étaient pas trompés. Devant la cruauté de son propre destin, Œdipe se crève les yeux et donne naissance au plus célèbre complexe psychanalytique.

BIBLIOGRAPHIE

BAUDELAIRE, Charles. *Petits poèmes en prose*, « Le Port », Paris, Gallimard, 1973, 2004.

NOTE : Toutes les citations dans ce livre, portant sur Œdipe-Roi, ont été tirées du texte intégral de :

SOPHOCLE. *Œdipe-Roi,* sous la direction de Fernand Angué et traduit du grec par Maurice Véricel, président honoraire de la Faculté catholique des Lettres de Lyons, coll. Univers des Lettres Bordas, Paris, Éditions Bordas, 1985.